LE PO

Avec ce volume, nous vous proposons un tour d'horizon, aussi large que possible, des innombrables recettes à base de poulet. Venues du monde entier, ces recettes vous porteront de l'Italie à la Russie, de l'Amérique à la Chine; sans demander d'autres ustensiles que ceux que vous possédez déjà. Disponible à toutes sortes d'apprêts, le poulet figure aussi bien parmi les entrées que les plats de résistance, comme plat unique ou comme viande avec sa garniture.

moins faciles, qui vous permettront de varier et d'enrichir vos menus.
La préparation des plats plus compliqués est facilitée par des séquences filmées.
Les temps indiqués comprennent préparation et cuisson de tous les ingrédients.
Les ingrédients et les assaisonnements sont dosés en partant du principe que vous tenez à votre ligne mais rien ne vous empêche, en principe, de les augmenter.

L'AVIS DU DIÉTÉTICIEN

La satisfaction de la forte demande de volailles ces dernières années a été facilitée par la mise au point d'aliments équilibrés qui donnent une viande de qualité: facile à digérer, riche en protéines (19%), en vitamines (surtout de la B6) et en sels minéraux (calcium, phosphore, fer), elle apporte 100-130 kilocalories par 100 g. La viande de poulet a comme particularité de ne contenir que peu de lipides (11%) et essentiellement des acides gras polyinsaturés; c'est-à-dire, de ceux qui jouent un rôle dans la prévention de l'artériosclérose, voire de certains cancers, et dans la régulation du système immunitaire.
Par contre, les abats sont très gras et riches en cholestérol, donc déconseillés en cas d'acides uriques et de calculs urinaires. Cette viande présente de légères différences selon son type: chez les volailles plus âgées (poules, coqs, chapons), elle contient un peu plus de protides et moins de lipides; chez les femelles, elle est un peu plus grasse et, par rapport aux cuisses, le blanc des filets contient moins de lipides et plus de protides. Quoi qu'il en soit, le poulet offre de tels avantages qu'il est conseillé d'en consommer au moins trois fois par semaine.

Blancs à la sauce au thon ▸

Un hors-d'œuvre qui s'adapte à tous les menus (y compris à ceux des "grandes occasions"). Adaptez les doses et vous obtiendrez un plat qui sera idéal pour agrémenter un menu froid, accompagné de petits légumes à la croque au sel.

20'+2-3h | 30' | 4 | ✶

Blancs de poulet, 400 g env.
Thon à l'huile, 80 g
Une poignée de câpres au vinaigre
4-5 anchois
Un demi-yaourt nature maigre
2 œufs
Persil
Vinaigre de vin blanc ou de cidre
Huile d'olive

Kcal 473 P 33 G 34

Faites bouillir vos blancs de poulet pendant 30 minutes. Egouttez-les et séchez-les. S'ils sont entiers, éliminez le cartilage et la fourchette, l'os que les Anglo-Saxons appellent *wishbone* (voir page 10). Emincez-les (en cubes ou en lanières) et mettez-les dans un plat de service.
Assaisonnez avec du sel, du poivre et 2 cuill. à soupe d'huile. Réservez 2-3 heures au réfrigérateur. Entre-temps, faites durcir vos œufs et préparez la sauce comme suit.
Dans un mortier, pilez le thon et les câpres (que vous aurez bien égouttés), les filets d'anchois et le persil. Ajoutez 3-4 cuill. à soupe d'huile et une de vinaigre. Vous pouvez aussi travailler au mixeur mais le résultat n'est pas aussi bon.
En dernier, amalgamez le yaourt. Vous devez obtenir une sauce lisse et onctueuse dont vous napperez bien le poulet. Décorez avec des quartiers d'œufs durs et du persil.

Soupe de poulet

Nettoyez votre poulet et faites-le cuire au court-bouillon avec une carotte, un oignon, une branche de céleri et une cuill. à soupe d'huile (si vous le désirez, ajoutez 1-2 gousses d'ail). Laissez bouillir jusqu'à ce que la viande se décolle des os.
Désossez le poulet avec vos doigts et hachez-le. Réservez.

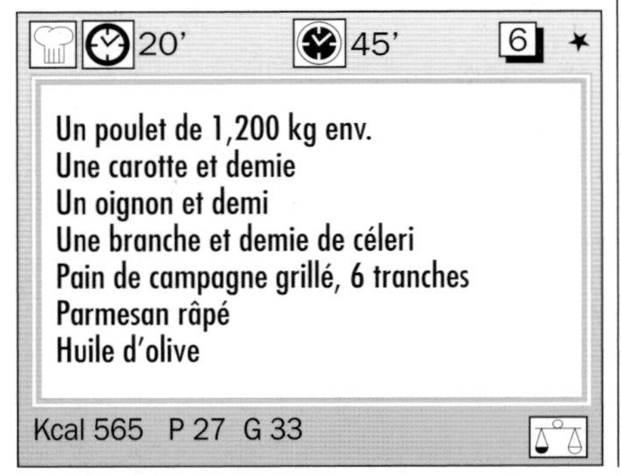

20' | 45' | 6 | ✶

Un poulet de 1,200 kg env.
Une carotte et demie
Un oignon et demi
Une branche et demie de céleri
Pain de campagne grillé, 6 tranches
Parmesan râpé
Huile d'olive

Kcal 565 P 27 G 33

Hachez le reste de légumes et faites-les fondre dans une cocotte avec 3 cuill. à soupe d'huile (ou l'équivalent de beurre) puis unissez le poulet. Salez et poivrez. Versez ce qu'il faut de bouillon pour que la soupe soit assez liquide. Portez à ébullition et mélangez. Au bout de 2-3 minutes éteignez.
Servez dans les assiettes sur une tranche de pain grillé et, enfin, saupoudrez de fromage râpé.

A la place du pain, vous pouvez utiliser du riz. Faites-le cuire dans le bouillon (40-50 g par personne). Ajoutez-y le poulet revenu avec les légumes et saupoudrez de ciboulette et de parmesan. L'avgolemono grec se prépare comme suit: cuire 150 g de riz dans un litre de bouillon de poule. Battre 2 œufs et le jus d'un citron dans un verre de bouillon. Quand le riz est pratiquement cuit, y verser le mélange et finir la cuisson à feu doux. Servir tiède.

Curry tiède ▸

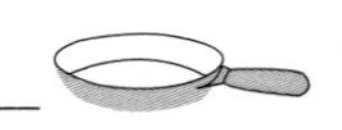

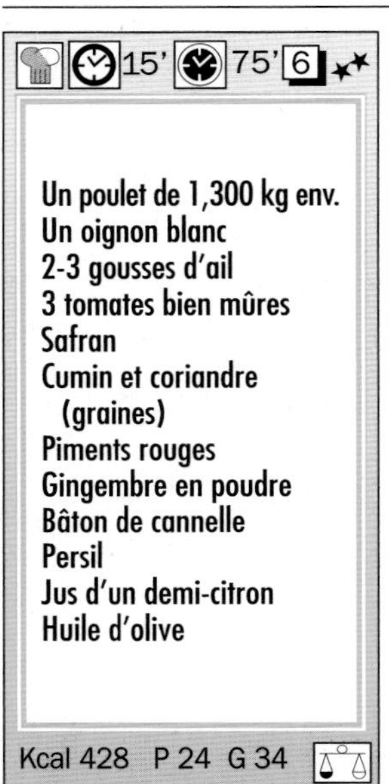

15' 75' 6

Un poulet de 1,300 kg env.
Un oignon blanc
2-3 gousses d'ail
3 tomates bien mûres
Safran
Cumin et coriandre (graines)
Piments rouges
Gingembre en poudre
Bâton de cannelle
Persil
Jus d'un demi-citron
Huile d'olive

Kcal 428 P 24 G 34

Cette recette indienne originale et très relevée est toute simple. Elle peut aussi se préparer avec des restes de poulet, dans ce cas, pas de cannelle. C'est un idée à retenir pour agrémenter une soirée d'été, avec une salade mélangée, ou pour donner un brin d'exotisme à un buffet (il faudra alors désosser le poulet).

Placez votre poulet, légèrement huilé et salé à l'intérieur, sur un papier sulfurisé où vous aurez émietté la cannelle. Enfournez une heure à 180-200 °C puis sortez-le et laissez-le tiédir. Découpez-le en petits morceaux. Entre-temps, détaillez les tomates après les avoir ébouillantées et épépinées.
Faites fondre l'ail et l'oignon (finement hachés) et 2-3 piments dans 5 cuill. à soupe d'huile, sur feu vif.
Unissez les tomates, une pincée de safran, une de cumin, une de coriandre et une de gingembre. Salez et mélangez. Laissez cuire 10 minutes sur feu doux puis ajoutez le poulet et cuisez encore le temps que la sauce nappe bien le poulet. Ajoutez alors le persil et le jus de citron. Servez pratiquement froid.

Version plat unique: servez votre poulet nappé de sa sauce sur un lit de riz cuit à la vapeur.

Cous farcis

Pour préparer ce hors-d'œuvre succulent, il vous faudra du fil de cuisine et une grosse aiguille.

Faites durcir l'œuf (5 min.), coupez-le puis mélangez-le dans un saladier avec la viande hachée et les olives, dénoyautées et finement hachées. Ajoutez sel et piment.
Prenez un des cous de poulet, cousez-le à une extrémité puis farcissez-le avec la préparation. Cousez l'autre bout. Enveloppez-le serré dans un filet à rôti.
Procédez de même pour l'autre cou.
Entre-temps vous aurez fait bouillir un grand fait-tout d'eau avec les légumes. Dès que l'eau bout, plongez-y les cous et laissez cuire une heure trois quarts, à couvert et sur petit feu.
Egouttez les cous et placez-les sous un poids dans un plat, de façon à leur faire rendre tout le bouillon qu'ils ont absorbé.
Laissez-les refroidir complètement et servez-les en tranches avec une belle sauce verte ou une vinaigrette.

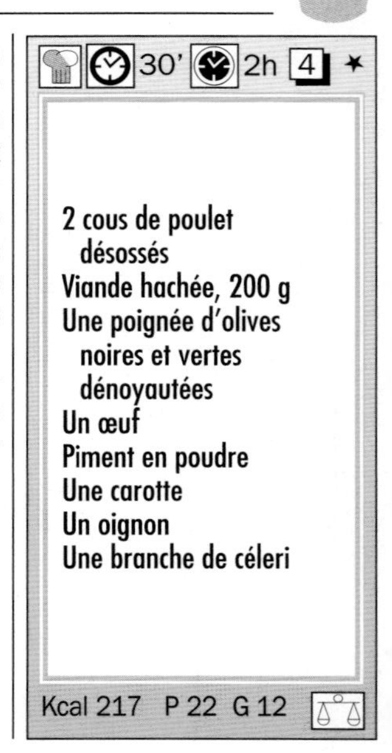

30' 2h 4

2 cous de poulet désossés
Viande hachée, 200 g
Une poignée d'olives noires et vertes dénoyautées
Un œuf
Piment en poudre
Une carotte
Un oignon
Une branche de céleri

Kcal 217 P 22 G 12

Salade de poulet

30' 30' 4 *

Blancs de poulet, 400 g env.
Une carotte
Un petit oignon
Une branche de céleri
Une laitue
Un œuf dur
Maïs en boîte
Olives noires et vertes
Mayonnaise
Moutarde
Huile d'olive
Vinaigre de cidre
Un demi-yaourt nature maigre (facultatif)

Kcal 498 P 21 G 43

Ici aussi, il s'agit d'une recette qui selon les doses et le menu, sera servie en entrée (comme ci-dessous) ou comme plat froid léger mais appétissant, idéal l'été. Il vous suffit de jouer avec les ingrédients.

Faites cuire les blancs de poulet une demi-heure dans un bouillon avec la carotte, l'oignon et le céleri. Laissez-le refroidir, débarrassez-les de l'os et du cartilage, si nécessaire, et découpez-les en lamelles. Mélangez à 8 cuill. à soupe de mayonnaise. Nettoyez votre laitue, coupez-la grossièrement et unissez-la au poulet ainsi que les olives dénoyautées, l'œuf en rondelles et les grains de maïs.
Assaisonnez d'une vinaigrette: 2-3 cuill. à soupe d'huile, une pointe de moutarde, une cuill. à café de vinaigre et le yaourt si vous le désirez. Laissez reposer une demi-heure au réfrigérateur. Servez frais mais pas glacé.

Vous pouvez modifier cette salade et l'enrichir pour en faire un vrai plat de résistance. Ajoutez alors des primeurs (frais ou conservés dans l'huile ou le vinaigre), des champignons, de la truffe, de l'avocat, des cœurs de palmier... à votre guise. Pour bien lier le tout, le yaourt est idéal.

Salade délicate

Blancs de poulet, 400 g env.
4 endives
4 œufs
Un demi-yaourt nature (0%)
Truffe blanche
Mayonnaise (recette ci-contre)
Huile d'olive
Vinaigre de cidre (facultatif)

Kcal 621 P 30 G 50

Voici un délicieux hors-d'œuvre (ou un plat léger) pour un menu raffiné. Les feuilles d'endive sont une invitation à la fantaisie pour la présentation (elles peuvent servir de barquettes ou pour un décor en rosace, comme ici).

Mettez les blancs de poulet à cuire dans une eau peu salée. Laissez-les refroidir et retirez l'os si nécessaire. Faites durcir les œufs. Nettoyez les endives, émincez-les (gardez quelques feuilles pour la décoration) et mélangez-les aux œufs durs émiettés dans un saladier. Ajoutez le poulet, mélangez et assaisonnez avec 2 cuill. à soupe d'huile et quelques gouttes de vinaigre (si vous le désirez). Incorporez alors 3 cuill. à soupe de mayonnaise et le yaourt. Garnissez de copeaux de truffe blanche (la truffe noire ne se mange pas crue).

Pour la mayonnaise: casser un œuf dans un bol, ajouter un autre jaune, une pointe de moutarde et une pincée de sel. Verser une goutte d'huile et tourner avec une cuiller en bois toujours dans le même sens. Au fur et à mesure que la mayonnaise prend, ajouter de l'huile goutte à goutte (un décilitre en tout) et enfin le jus d'un demi-citron.

Escalopes aux champignons

Après avoir retiré l'os, si nécessaire, séparez les blancs puis tranchez les filets dans l'épaisseur. Vous obtiendrez 4 escalopes.
Nettoyez les champignons et émincez-les. Détaillez l'oignon en fines rondelles et faites-le revenir dans une grande cocotte avec 3 cuill. à soupe d'huile.
Ajoutez les champignons et laissez cuire puis unissez le poulet et faites-le colorer de chaque côté. Mouillez avec un demi-verre de vin que vous laisserez s'évaporer. Arrosez avec un verre de bouillon. Salez et poivrez. Couvrez et laissez frémir une demi-heure.
En dernier, saupoudrez de persil finement haché. Mélangez et servez.

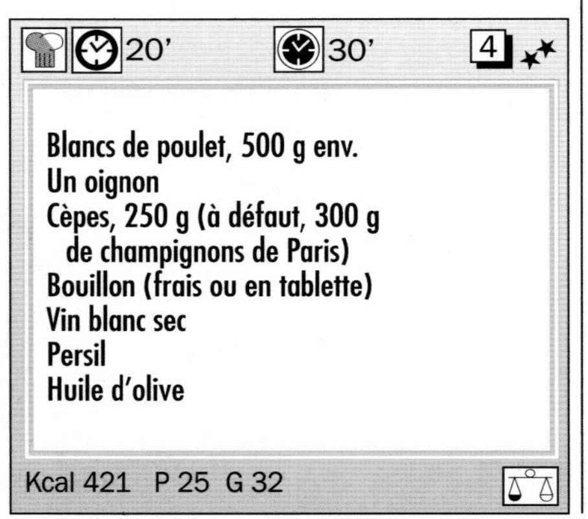

Blancs de poulet, 500 g env.
Un oignon
Cèpes, 250 g (à défaut, 300 g de champignons de Paris)
Bouillon (frais ou en tablette)
Vin blanc sec
Persil
Huile d'olive

Kcal 421 P 25 G 32

A la différence des champignons de couche, les champignons sauvages ne doivent pas être lavés sous l'eau courante. Pour les nettoyer, frottez-les délicatement avec un linge humide. Si cela ne suffit pas, ayez recours à une brosse à poils durs ou à un canif qui vous servira à couper l'extrémité du pied.

Escalopes au jambon cru

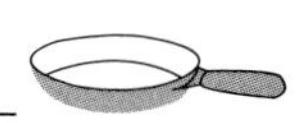

Séparez les blancs puis coupez chaque filet dans l'épaisseur (comme pour la recette précédente). Passez les 4 escalopes que vous avez ainsi obtenues dans la farine puis dans l'œuf battu. Faites fondre 3 cuillerées de beurre dans la poêle et mettez-y le poulet à dorer des deux côtés. Otez les escalopes de la poêle et déposez-les dans un plat à four beurré. Couvrez-les chacune d'une tranche de jambon et saupoudrez de parmesan râpé. Videz l'excès de beurre de la poêle. Remettez la poêle sur le feu et dégraissez avec un demi-verre de vin. Parfumez avec de la noix de muscade et laissez réduire. Si nécessaire, ajoutez un peu de farine pour épaissir votre sauce. Nappez le poulet de cette sauce, couvrez le plat avec du papier d'aluminium et enfournez à four préchauffé sur 180-200 °C. Laissez cuire pendant 15 minutes.

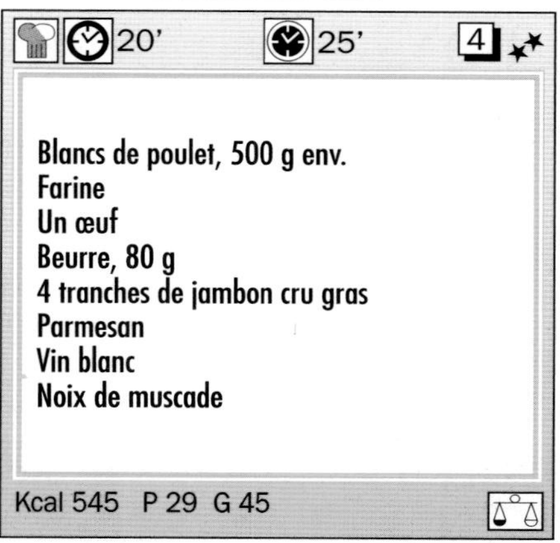

20' 25' 4

Blancs de poulet, 500 g env.
Farine
Un œuf
Beurre, 80 g
4 tranches de jambon cru gras
Parmesan
Vin blanc
Noix de muscade

Kcal 545 P 29 G 45

Comme l'écrivait Auguste Escoffier dans son ouvrage "Ma Cuisine", l'escalope est une mince tranche de veau taillée dans la noix, l'épaule ou le quasi et d'un poids moyen de 100 g. Par extension, le mot s'applique à d'autres viandes et même au poisson.

Poulet en marinade

 30'+30'  40'  Kcal 449 P 28 G 30 

Pour la marinade:	Coriandre	Blancs de poulet, 500 g env.
Une petite boîte de thon à l'huile	Un clou de girofle	Un petit pain
Un oignon	Vinaigre blanc	Une demi-tasse de lait
Une demi-branche de céleri	Vin blanc sec	2 cuill. de câpres égouttées
Une gousse d'ail	2 citrons	Un brin de basilic
Une feuille de laurier	Un brin de persil	3 anchois
Sauge, thym, marjolaine	Poivre en grains	Huile d'olive

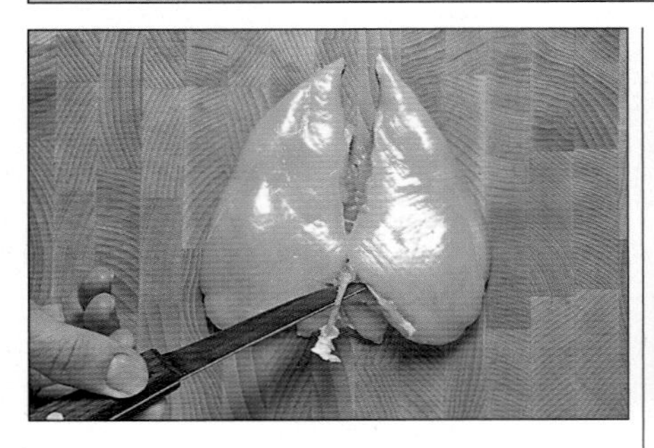

1 Séparez vos blancs de poulet puis tranchez chaque filet dans l'épaisseur. Aplatissez les escalopes ainsi obtenues et mettez-les dans une grande terrine. Egouttez le thon. Emincez finement l'oignon et le céleri.

2 Salez et ajoutez le thym, la marjolaine et du poivre en grains. Incorporez les autres ingrédients, un demi-verre de vinaigre, un demi-verre de vin et le jus des citrons. Faites mariner la viande en la retournant souvent.

3 Au bout de 30 minutes, transvasez le poulet et sa marinade dans une cocotte (sauf le thon) et humectez avec un verre d'eau. Faites cuire doucement 40 minutes à couvert. Mouillez la mie du petit pain puis essorez-la.

4 Mixez le thon, la mie, le basilic et la moitié des câpres avec le fond. Ajoutez 4 cuill. à soupe d'huile. Nappez les escalopes avec cette sauce. Décorez avec le reste des câpres et les filets des anchois. Servez froid.

Blancs aux fines herbes

 20'
 45'

Kcal 397 P 23 G 31
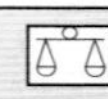

Blancs de poulet, 500 g env.
Une poignée de farine
Un oignon
Une gousse d'ail
Un anchois
Fines herbes (aneth, cerfeuil, marjolaine, origan, sauge, thym)
Un demi-poivron
Tomates bien mûres, 400 g
Vin blanc sec
Huile d'olive
Moutarde en grains (facultatif)

1 Mettez la farine, du sel et du poivre dans une assiette. Nettoyez les blancs de poulet puis détaillez-les en lanières de 2 doigts de large et farinez-les légèrement. Rincez l'anchois, éliminez l'arête et émiettez-le. Ebouillantez les tomates puis pelez-les.

2 Faites blondir l'oignon et l'ail à feu doux dans 2-3 cuill. à soupe d'huile. Ajoutez l'anchois, mouillez avec un demi-verre de vin et laissez-le s'évaporer.
Unissez maintenant le poivron en lanières et les tomates concassées.
Laissez mijoter un bon quart d'heure.

3 Mettez 3 cuill. à soupe d'huile à chauffer dans une poêle et faites-y dorer le poulet. Salez et saupoudrez d'un hachis de fines herbes. Le choix des herbes peut varier suivant la saison et les goûts de chacun.

4 Versez le poulet sur la sauce. Couvrez la cocotte et laissez cuire encore une demi-heure à petit feu. En fin de cuisson, ajoutez - si vous le désirez - une cuill. à café de graines de moutarde. Servez.

Escalopes à la sauge

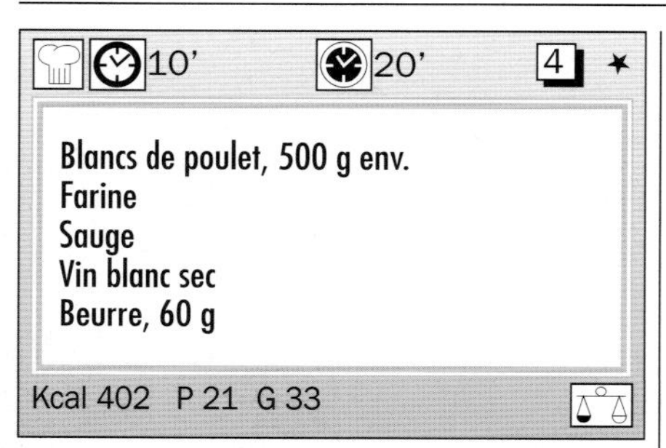

10' 20' 4 *

Blancs de poulet, 500 g env.
Farine
Sauge
Vin blanc sec
Beurre, 60 g

Kcal 402 P 21 G 33

Lavez et épongez 5-6 belles feuilles de sauge fraîche.
S'ils sont entiers, désossez vos blancs de poulet et séparez-les. Tranchez-les alors dans l'épaisseur: vous obtiendrez 4 escalopes que vous farinerez.
Faites fondre le beurre dans une cocotte et mettez-y les feuilles de sauge. Attention, elles ne doivent pas se colorer. Couvrez votre récipient.
Au bout de 2-3 minutes, ajoutez les escalopes et faites-les blondir à feu vif de chaque côté.
Versez le vin, laissez-le s'évaporer de moitié et couvrez à nouveau. Faites cuire encore à petite flamme pendant 10 minutes.

Pour obtenir un goût méditerranéen, vous pouvez remplacer le beurre par de l'huile d'olive. Ce plat délicat et parfumé est encore plus appétissant avec une garniture de légumes à la vapeur (carottes, pommes de terre, céleri, courgettes, etc.).

Poulet aux câpres

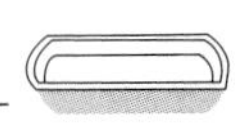

Nettoyez et flambez votre poulet avant de l'enduire d'huile.
Mettez 2-3 cuillerées de beurre à fondre dans un plat à four, faites-y rissoler le poulet de toutes parts sur feu vif.
Salez et poivrez.
Glissez au four à 150 °C et, au bout d'une heure, réglez sur 180 °C. Attendez encore une demi-heure avant de retirer votre poulet du four. Coupez-le en 8 morceaux que vous réserverez au chaud.
Dégraissez le plat avec un demi-verre de vin à l'aide d'une cuiller en bois.
Quand la sauce commence à bouillir, délayez-y une petite cuillerée de moutarde et ajoutez les câpres bien égouttées.
Laissez épaissir un peu la sauce puis versez-la sur le poulet.
Décorez avec du persil.

Quand il sort du four ce plat dégage un parfum irrésistible. Mais on peut aussi le servir tiède car il marie des arômes qui aiguisent l'appétit même par grande chaleur.

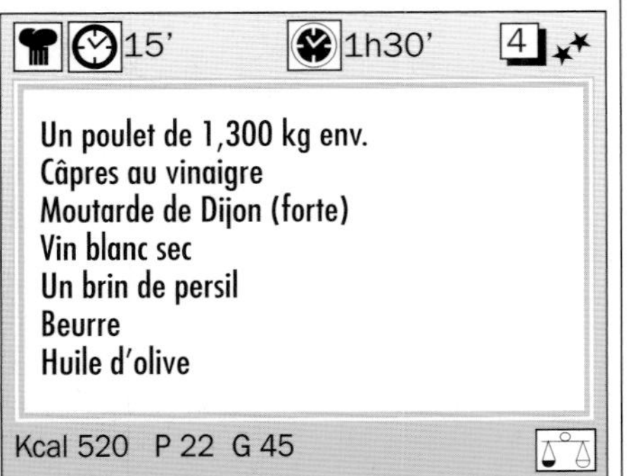

15' 1h30' 4

Un poulet de 1,300 kg env.
Câpres au vinaigre
Moutarde de Dijon (forte)
Vin blanc sec
Un brin de persil
Beurre
Huile d'olive

Kcal 520 P 22 G 45

Poulet au beurre à l'estragon

Voici un plat très élégant qui flatte à la fois la vue et la palais: le poulet est comme enveloppé dans un voile blanc constellé d'estragon. En cuisine, on utilise uniquement les feuilles de l'estragon, fraîches ou séchées, tandis qu'en herboristerie on emploie également les somités de cette plante facile à cultiver.

Hachez finement l'estragon puis mélangez-le dans un bol avec la moitié du beurre (conservez-en une cuiller à café pour la décoration).
Nettoyez le poulet, enduisez l'intérieur d'une noix de beurre à l'estragon, salez et poivrez.
Mettez le reste de beurre à fondre dans une cocotte et faites-y dorer le poulet. Couvrez et laissez cuire 50 minutes environ en mouillant de temps en temps avec du bouillon si nécessaire.
Quand le poulet est cuit, retirez-le de la cocotte et réservez-le au chaud. Mettez alors dans la cocotte le reste de beurre à l'estragon puis unissez un peu de farine sur petit feu. Liez avec la crème fraîche et laissez épaissir.
Découpez votre poulet en 8 morceaux. Nappez-le de sa sauce, parsemez-le d'estragon frais et servez.

Pour le bouillon, vous pouvez utiliser des tablettes toutes prêtes ou le préparer vous-même en faisant cuire une carotte, un oignon et une branche de céleri vingt minutes dans de l'eau salée.

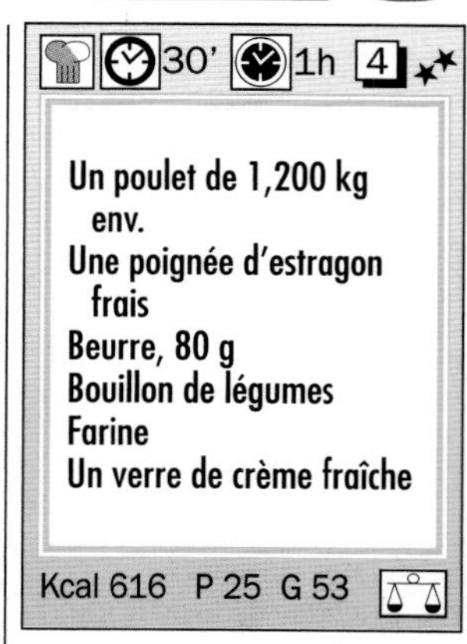

Poulet farci au fenouil

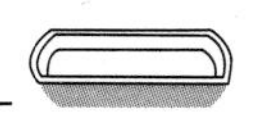

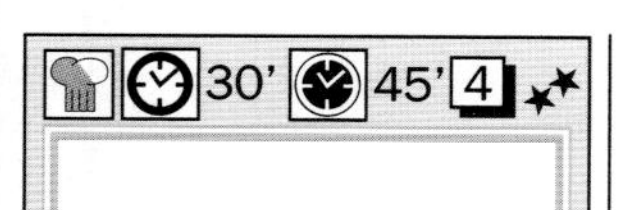

Un poulet de 1,200 kg env.
Poitrine, 150 g
Un petit pain
Une demi-tasse de bouillon de légumes
Graines de fenouil
2 gousses d'ail
Sauge
Persil
Huile d'olive

Kcal 678 P 28 G 56

Pour cette recette, il vous faudra une aiguille à brider et de la ficelle de cuisine.

Nettoyez et flambez votre poulet.
Trempez le petit pain dans le bouillon. Parfumez à chaud 4-5 cuill. à soupe d'huile avec une gousse d'ail et quelques graines de fenouil que vous retirerez dès qu'elles se colorent.
Découpez la poitrine en lardons et, dans un bol, mélangez-la avec la mie de pain essorée, l'ail, la sauge, des graines de fenouil, le persil haché, du sel et du poivre. Garnissez l'intérieur du poulet avec cette farce et cousez-le. Enduisez-le avec l'huile aromatisée et mettez-le dans un plat à four huilé.
Glissez dans le four préchauffé à 200 °C et faites cuire en badigeonnant de temps en temps le poulet avec votre huile parfumée.
Servez le poulet bien chaud et entier.
Vous le découperez à table.

Un conseil gourmand: préparez un peu plus de farce que nécessaire (mais sans la mie) et faites-la revenir à la poêle avec une goutte de bouillon.
Versez-la sur le poulet au moment de servir et parsemez de graines de fenouil. Un délice!

Poulet aux anchois ►

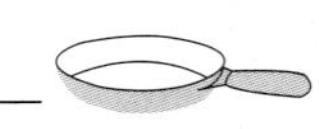

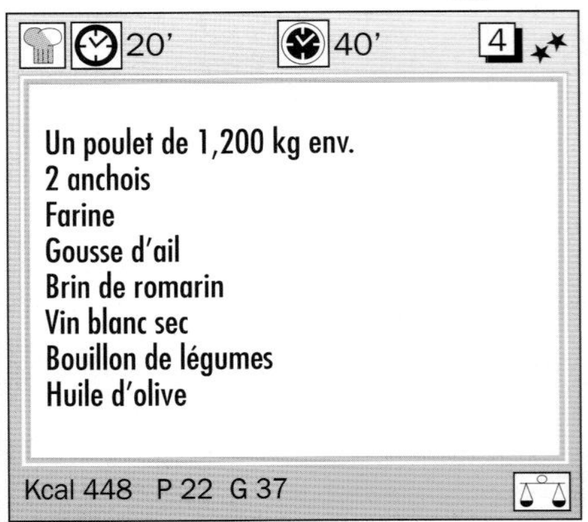

20' 40' 4

Un poulet de 1,200 kg env.
2 anchois
Farine
Gousse d'ail
Brin de romarin
Vin blanc sec
Bouillon de légumes
Huile d'olive

Kcal 448 P 22 G 37

Une fois que vous aurez nettoyé et flambé votre poulet, découpez-le en 8 morceaux. Passez-les dans une assiette contenant une poignée de farine, sel et poivre.
Lavez les anchois et levez-en les filets.
Hachez finement l'ail et le romarin. Faites-les revenir doucement à la poêle dans 3-4 cuill. à soupe d'huile.
Unissez maintenant vos morceaux de poulet et faites-les dorer de toutes parts. Au bout de 7-8 minutes, retirez-les et réservez-les au chaud.
Versez dans la poêle un demi-verre de vin pour la dégraisser.
Ajoutez les filets d'anchois et laissez cuire 2-3 minutes à petit feu.
Remettez alors le poulet dans la poêle et terminez doucement la cuisson en mouillant si nécessaire avec du bouillon.

Poulet en papillote

Nettoyez votre poulet comme d'habitude. Hachez finement 5-6 belles feuilles de sauge et un petite poignée de feuilles de romarin.
Dans un bol, mélangez la poitrine et le jambon (que vous aurez tranchés en petits cubes), la viande hachée, les pignons, la moitié du hachis de fines herbes et la pomme de terre (épluchée et détaillée en dés). Salez et poivrez. Farcissez le poulet avec cette préparation.
Enveloppez soigneusement le poulet dans du papier sulfurisé (ou du papier d'aluminium) après l'avoir saupoudré avec le reste de fines herbes, du sel et du poivre.
Mettez-le dans un plat à four et cuisez-le au four à 180 °C pendant une heure.
Défournez et servez votre poulet dans sa papillote ouverte après l'avoir découpé, en veillant à ce que chacun ait sa part de farce...

25' 1h 4

Un poulet de 1,200 kg env.
Une grosse tranche (5 mm) de poitrine avec son gras
Viande de porc hachée, 100 g
2 grosses tranches (3-4 mm) de jambon cru avec leur gras
Une poignée de pignons
Une pomme de terre
Sauge, romarin
Huile d'olive

Kcal 650 P 31 G 52

Poulet farci aux pommes

Pour cette recette, vous devez prévoir une aiguille à brider et de la ficelle de cuisine.

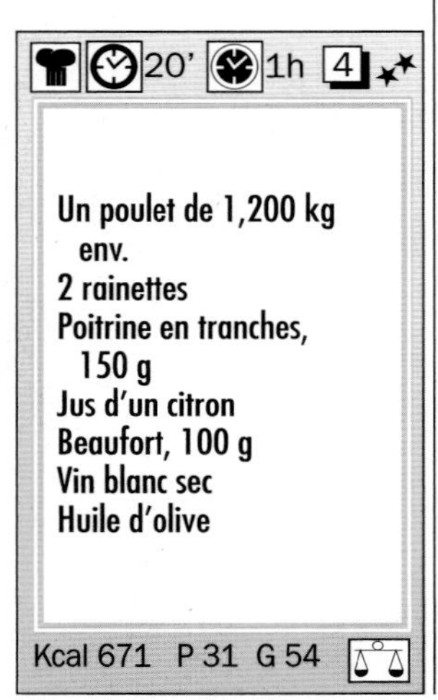

Un poulet de 1,200 kg env.
2 rainettes
Poitrine en tranches, 150 g
Jus d'un citron
Beaufort, 100 g
Vin blanc sec
Huile d'olive

Kcal 671 P 31 G 54

Nettoyez et flambez le poulet puis arrosez-le à l'intérieur avec du jus de citron et saupoudrez-le de sel et poivre.
Epluchez les pommes, débarrassez-les de leur trognon et coupez-les en morceaux que vous mettrez à l'intérieur du poulet ainsi que le fromage découpé en cubes. Cousez.
Bardez le poulet avec les tranches de poitrine que vous fixerez avec un pic en bois.
Mettez sur le feu un plat à four contenant 4 cuill. à soupe d'huile d'olive et faites-y rissoler le poulet pendant 10 minutes.
Entre-temps, préchauffez votre four à 180 °C.
Versez un verre de vin dans le plat et glissez-le au four. Laissez cuire 50 minutes.

Pour la présentation: nettoyez une autre pomme, sans l'éplucher, et découpez-la en lamelles que vous mettrez dans le plat à four à mi-cuisson, puis dressez sur un plat de service comme illustré ci-dessous.
Une idée: à la place des pommes vous pouvez utiliser des poires pour la farce. Choisissez-les pas trop sucrées et bien fermes pour qu'elles ne se défassent pas trop en cuisant. C'est un régal.

Poulet aux olives

Ebouillantez vos tomates puis pelez-les et détaillez-les. Nettoyez le poulet et découpez-le en 8-10 morceaux.
Dénoyautez les olives et broyez-en la moitié au mortier (ou bien au mixeur).
Hachez grossièrement la carotte, l'oignon et le céleri. Faites revenir ce hachis à l'huile (4-5 cuill. à soupe).
Faites rissoler le poulet, ajoutez un demi-verre de vin et laissez-le s'évaporer sur feu vif. Salez et poivrez.
Unissez la pâte d'olives, le persil et la tomate concassée que vous écraserez à la cuiller en bois. Laissez cuire une dizaine de minutes à petit feu.

Quand la sauce a épaissi, ajoutez les olives entières et faites cuire doucement encore 10 minutes, un quart d'heure au plus.

30' 35' 4

Un poulet de 1,200 kg env.
Une carotte
Un oignon
Une branche de céleri
4 tomates bien mûres (ou du coulis)
10 olives vertes
10 olives noires
Persil
Vin rouge
Huile d'olive

Kcal 402 P 22 G 32

Poulet aux pruneaux

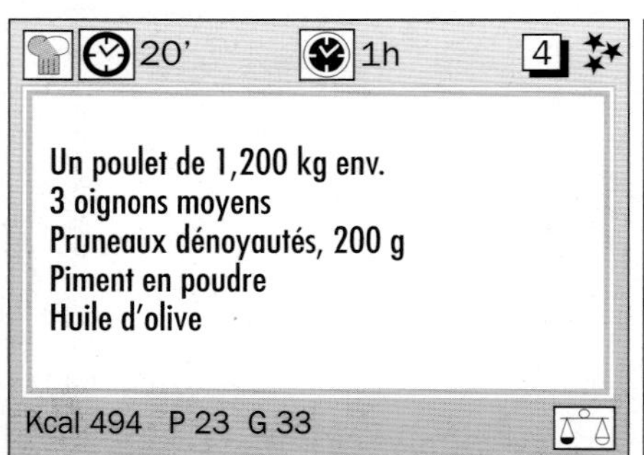
20'
1h
4

Un poulet de 1,200 kg env.
3 oignons moyens
Pruneaux dénoyautés, 200 g
Piment en poudre
Huile d'olive

Kcal 494 P 23 G 33

Une fois que vous aurez nettoyé et flambé votre poulet, découpez-le en 8-10 morceaux. Salez et poivrez les morceaux.
Faites revenir l'oignon émincé dans une cocotte avec 4-5 cuill. à soupe d'huile, unissez le poulet et faites-le dorer de toutes parts. Saupoudrez de piment.
Laissez cuire doucement et, au bout de 20 minutes, ajoutez les pruneaux.
Cuisez encore 40 minutes.
Servez chaud.

Poulet rôti au citron

Ici, le parfum du citron vient "réveiller" le poulet rôti classique avec élégance et simplicité. La cuisson au four très chaud assure la formation d'une irrésistible couche croustillante à la surface du poulet.

Il vous faudra, ici aussi, de la ficelle et une aiguille à brider.

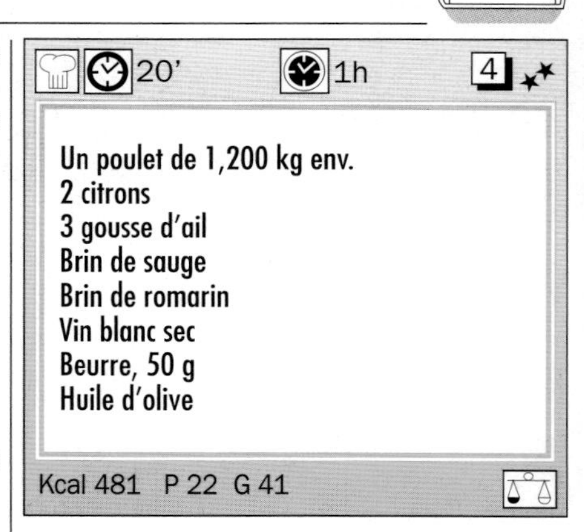
20'
1h
4

Un poulet de 1,200 kg env.
2 citrons
3 gousse d'ail
Brin de sauge
Brin de romarin
Vin blanc sec
Beurre, 50 g
Huile d'olive

Kcal 481 P 22 G 41

Nettoyez et flambez le poulet. Réchauffez le four à 220 °C. Enduisez copieusement votre poulet de beurre à l'intérieur et garnissez-le avec un citron coupé en quartiers et le hachis suivant: 2 gousses d'ail, romarin, sauge, sel et poivre.
Cousez votre poulet, enduisez-le de beurre et saupoudrez-le de sel et poivre. Mettez-le dans un plat à four avec 3-4 cuill. à soupe d'huile, une gousse d'ail, un peu de sauge et de romarin.
Faites cuire un quart d'heure puis mouillez avec un demi-verre de vin. Attendez encore un quart d'heure et arrosez avec le jus du deuxième citron.
Laissez cuire encore une bonne demi-heure.

Découpez le poulet en 4 morceaux et servez-le chaud avec un décor de rondelles de citron.
L'accompagnement idéal? Des pommes de terre, rôties bien sûr.

Une bonne recette de poulet rôti à la cocotte: placer à l'intérieur du poulet des lardons, un hachis d'ail, de romarin et de sauge, du sel et du poivre. Le brider et le mettre dans une cocotte avec 4-5 cuill. à soupe d'huile, de l'ail, de la sauge et du romarin. Une fois doré, mouiller avec du vin, couvrir et baisser le feu. Cuire une demi-heure environ. Les 5 dernières minutes de cuisson se font à découvert.

Poulet chasseur aux olives

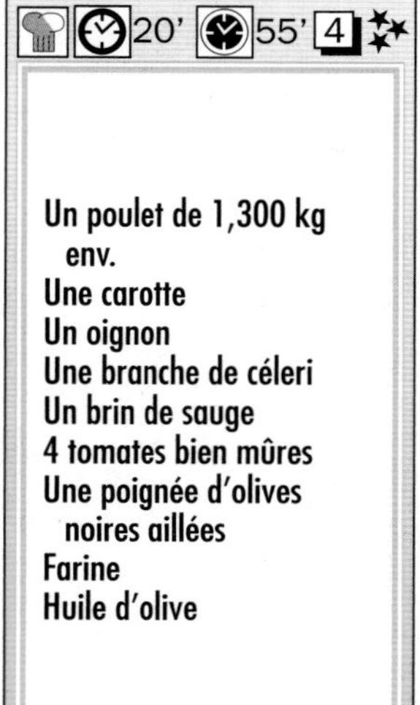

Un poulet de 1,300 kg env.
Une carotte
Un oignon
Une branche de céleri
Un brin de sauge
4 tomates bien mûres
Une poignée d'olives noires aillées
Farine
Huile d'olive

Kcal 425 P 23 G 33

Nettoyez bien le poulet et flambez-le. Découpez-le en 10 morceaux que vous passerez dans la farine. Hachez finement les herbes et les légumes et faites-les revenir à l'huile (4-5 cuill. à soupe). Dès qu'ils commencent à blondir, ajoutez le poulet.
Faites-le rissoler quelques minutes sur feu vif, en le retournant avec une cuiller en bois. Baissez et unissez les tomates concassées et les olives.
Salez et poivrez.
Laissez cuire 40 minutes en remuant délicatement de temps en temps.

Cette recette est la relecture d'un classique que nous avons voulu rendre à la fois plus onctueux et plus corsé grâce aux olives. En effet, dans la recette traditionnelle, on ne farine pas les morceaux de poulet; on les met à cuire avec de l'ail, de l'oignon et de la sauge et on mouille avec du vin que l'on laisse évaporer avant d'ajouter la tomate. Une recette un peu plus rustique mais tout aussi appétissante.

Poulet grillé à la diable

Après avoir nettoyé et flambé le poulet, ouvrez-le en deux par le devant (en suivant le bréchet) et aplatissez-le.
Saupoudrez l'intérieur de sel, poivre et fines herbes hachées. Laissez-le reposer 15 minutes avant de le cuire. Faites-le griller sur la braise (ou, à défaut, sur un gril en fonte) un quart d'heure de chaque côté, en le badigeonnant avec de l'huile citronnée. Servez bien chaud avec, par exemple, une belle portion de frites.

Votre poulet sera encore plus appétissant avec une sauce qui se prépare comme suit: hacher menu un demi-poivron, une branche de céleri, un demi-oignon et un brin de persil.
Ajouter 2 cuillers de vinaigre et 2 d'huile, saler et poivrer.
On peut aussi incorporer un demi-yaourt nature.
A table, chacun se servira.
Encore plus corsé: mélanger 4-5 cuillerées d'huile et 2-3 de ketchup, unir le jus d'un citron et une bonne pincée de poivre.
Laisser mariner le poulet dans ce mélange et, après l'avoir saupoudré de fines herbes, le faire griller en le badigeonnant de temps en temps avec de la marinade.

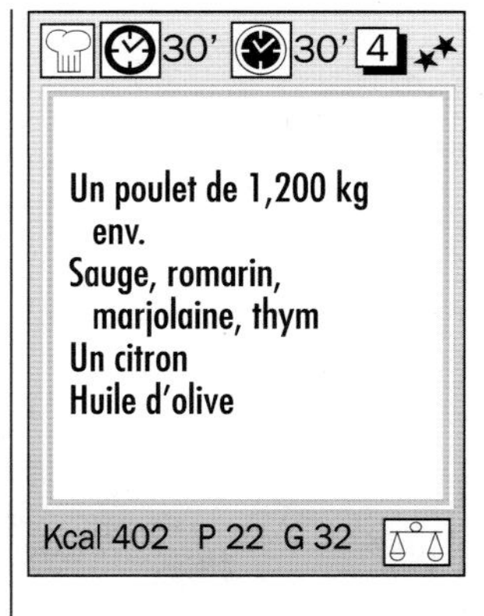
30' 30' 4

Un poulet de 1,200 kg env.
Sauge, romarin, marjolaine, thym
Un citron
Huile d'olive

Kcal 402 P 22 G 32

Poulet grillé sous la brique ▸

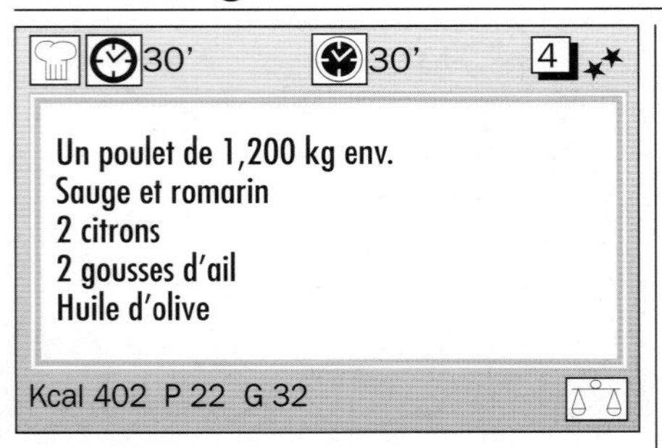
30' 30' 4

Un poulet de 1,200 kg env.
Sauge et romarin
2 citrons
2 gousses d'ail
Huile d'olive

Kcal 402 P 22 G 32

Vous devez nettoyer et flamber votre poulet avant de l'ouvrir en deux bien à plat (coupez-le suivant le bréchet et aplatissez-le).
Hachez finement la sauge et le romarin (plus, si vous le désirez, 2 gousses d'ail) et saupoudrez-en le poulet. Salez et poivrez. Badigeonnez-le d'huile et laissez-le reposer 15 minutes. Faites-le griller au charbon de bois sous une brique d'argile. Il devra cuire une demi-heure. Retournez-le souvent et badigeonnez-le à chaque fois avec de l'huile salée et poivrée.
Remettez toujours la brique par dessus pour bien l'aplatir.
Servez très chaud avec des morceaux de citron.

Pour accompagner ce poulet grillé, une sauce aigre-douce: mélanger une cuillerée d'huile, une demi-tomate en petits dés, quelques gouttes de citron, une petite cuillerée de ketchup, 2 de Worcestershire sauce et un hachis fin de sauge, ail et romarin (on peut même ajouter un peu de marjolaine et de thym). Laisser reposer avant de servir, séparément, avec le poulet et une garniture de tranches d'aubergine grillées et persillées.

Poulet frit

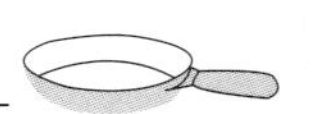

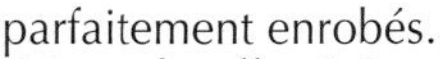

Nettoyez soigneusement et flambez votre poulet puis découpez-le en petits morceaux.
Battez un œuf avec une pincée de sel dans un saladier. Mettez-y les morceaux de poulet à tremper pendant 20 minutes en les retournant de temps en temps. Versez la farine en pluie dans le saladier et faites en sorte que l'œuf l'absorbe bien.
Tous les morceaux de poulet doivent être parfaitement enrobés.
Faites chauffer 2-3 verres d'huile dans un grand récipient, plongez-y les morceaux de poulet et faites-les frire pendant 20 minutes.
Au début, ils devront cuire à petit feu puis vous augmenterez la flamme pour bien les faire dorer.
Egouttez et servez avec des quartiers de citron.

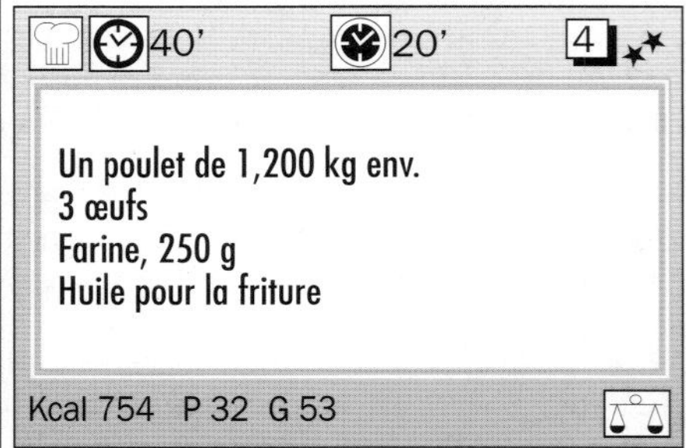
40' 20' 4

Un poulet de 1,200 kg env.
3 œufs
Farine, 250 g
Huile pour la friture

Kcal 754 P 32 G 53

Fricassée

 15'  40' 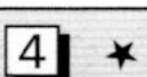 ✶ Kcal 583 P 28 G 44 

Un poulet de 1,200 kg env.
Beurre, 60 g
2 jaunes d'œuf
Un oignon
Une branche de céleri
Persil
Une tasse de bouillon de poule ou de légumes
Farine
Huile d'olive
Noix de muscade (facultatif)

1 Nettoyez et flambez le poulet. Découpez-le en 10-12 morceaux. Préparez une sauce blanche: faites fondre le beurre, ajoutez la farine (une ou deux cuillerées). Mélangez jusqu'à coloration puis mouillez avec deux louches de bouillon chaud.

2 Laissez frémir une dizaine de minutes en mélangeant doucement puis unissez les morceaux de poulet, l'oignon émincé, le céleri en bâtonnets et un brin de persil. Ajoutez sel, poivre et une pincée de noix de muscade.

3 Faites reprendre l'ébullition et laissez cuire à petit feu pendant una demi-heure. Retournez le poulet de temps à autre et ajoutez du bouillon si nécessaire. Battez les janues avec quelques gouttes de citron, du sel et du poivre.

4 Otez la cocotte du feu et retirez-en l'oignon, le céleri et le persil. Incorporez les jaunes battus avec le poulet en mélangeant 2 minutes. Attention: la température ne doit pas être trop forte sinon la sauce risquerait de tourner alors que l'œuf doit lui donner tout son crémeux.

POUR REUSSIR UN POULET AU COURT-BOUILLON

Nettoyer soigneusement le poulet et les légumes suivants: une carotte, un oignon, une branche de céleri, une gousse d'ail, un brin de persil. Mettre le tout dans une marmite avec 3 litres d'eau froide, du sel et du poivre en grains. Faire bouillir à feu moyen pendant un quart d'heure environ, ajouter le poulet et poursuivre la cuisson à petit feu pendant trois quarts d'heure.

Poulet au gros sel

Vous réserverez cette recette aux poulets de toute première qualité dont vous pourrez apprécier pleinement le goût sans autre condiment. Du fait qu'il ne demande aucune matière grasse, ce plat est excellent du point de vue diététique. Pendant la cuisson, vous entendrez le crépitement des grains de sel qui explosent.

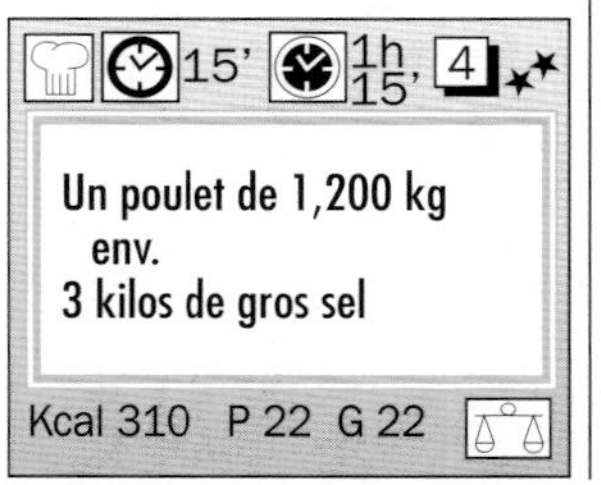

Un poulet de 1,200 kg env.
3 kilos de gros sel

Kcal 310 P 22 G 22

Nettoyez votre poulet comme d'habitude. Versez 1 kilo de gros sel dans un plat à four muni d'un couvercle.
Déposez le poulet dessus et recouvrez-le avec le reste de sel. Mettez le couvercle sur le plat, attachez-le ou placez un poids par dessus. Glissez dans le four préchauffé à 180-200 °C. Laissez cuire une heure et quart environ. Otez le couvercle et brisez la croûte de sel. Sortez le poulet et débarrassez-le soigneusement du gros sel. Servez entier. Vous découperez à table ce poulet moelleux et parfumé à souhait, pour le plus grand plaisir de vos convives.

La cuisson au sel a pour effet de déshydrater la viande. Mais l'épaisseur de la croûte qui se forme en cuisant est telle que le poulet reste très moelleux et très goûté.
Il n'absorbe en fait qu'une faible quantité de ce sel.
Connue depuis des siècles, cette technique de cuisson est conseillée pour d'autres types de viande (lapin, coquelet, pintade) et, surtout, pour les poissons blancs. Si vous ne l'avez pas encore fait, essayez.
Mettez à cuire tout doucement sous un belle enveloppe de gros sel un bar ou une dorade: un délice!

Roulé au four

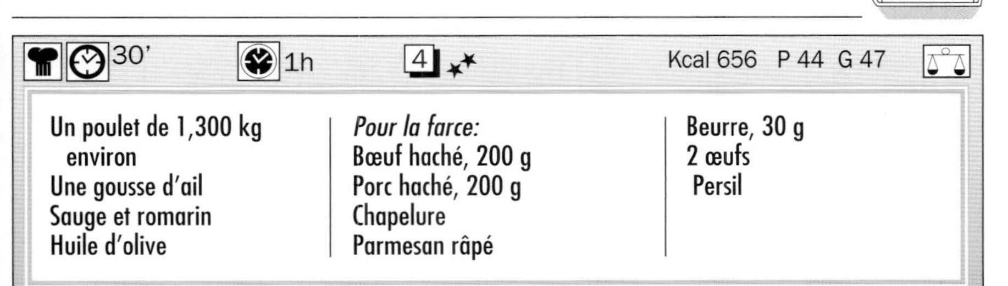
30' 1h 4 Kcal 656 P 44 G 47

Un poulet de 1,300 kg environ	*Pour la farce:*	Beurre, 30 g
Une gousse d'ail	Bœuf haché, 200 g	2 œufs
Sauge et romarin	Porc haché, 200 g	Persil
Huile d'olive	Chapelure	
	Parmesan râpé	

Nettoyez et flambez le poulet. Désossez-le (voir ci-dessous) et aplatissez-le à petits coups.
Dans un saladier, mélangez les deux viandes, les œufs, le parmesan, la chapelure, le persil haché, sel et poivre. Etendez cette farce sur le poulet puis enroulez-le sur lui-même.
Ficelez-le et mettez-le dans un plat à four avec 3-4 cuill. à soupe d'huile, l'ail, le romarin et la sauge.
Faites cuire une heure à four chaud (220 °C).
Déficelez, découpez votre poulet et dressez-le sur un plat de service nappé de son jus.

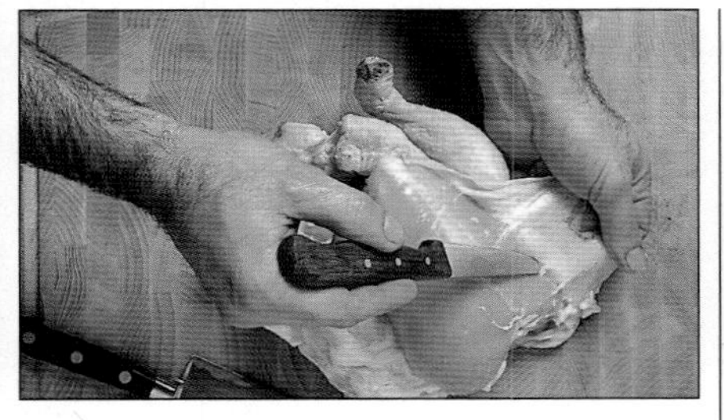

1 Videz le poulet. Mettez-le sur votre plan de travail et incisez la peau le long du bréchet pour la décoller. Ecorchez ensuite les côtés, le dos, les cuisses et les ailes.

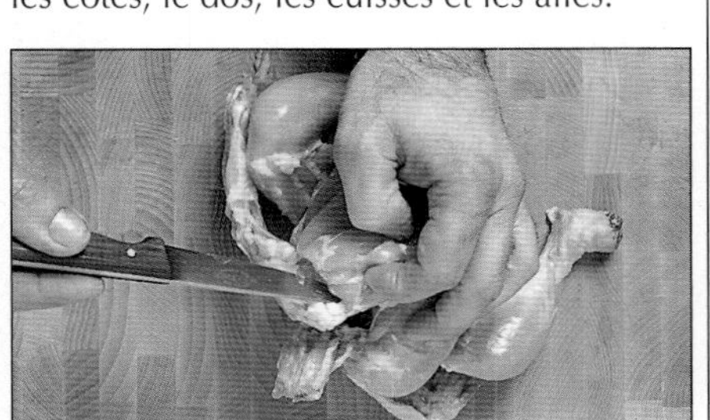

2 Incisez l'articulation de l'aile et détachez la viande du dos. Eliminez les os des ailes et repliez-en la viande vers l'intérieur des deux côtés.

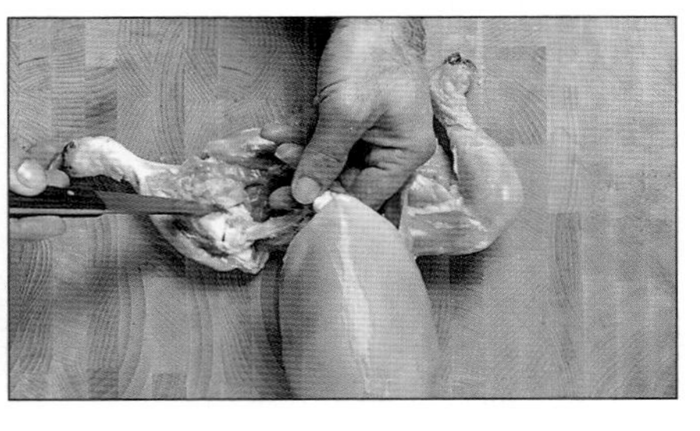

3 Incisez la hanche et découvrez l'articulation. Coupez la cuisse le long de l'os, décollez la viande et dégagez l'os avec ses tendons. Répétez de l'autre côté.

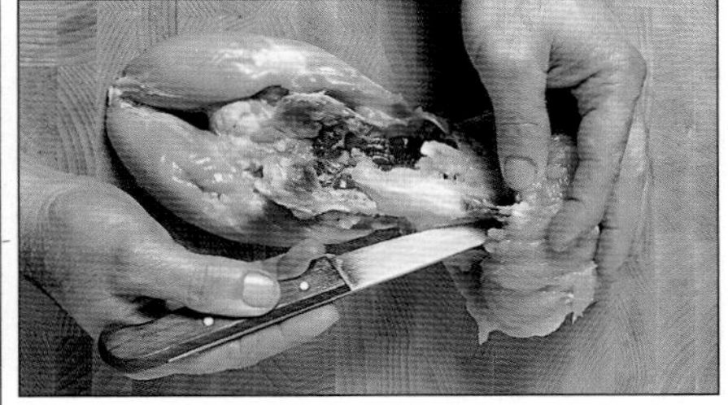

4 En commençant par le bas, détachez les filets et dégagez la carcasse. Vous pouvez maintenant reconstituer votre poulet ou bien l'ouvrir et l'aplatir pour le farcir.

Poulet farci aux fines herbes

 1h  1h  Kcal 518 P 36 G 36 

Un poulet de 1,500 kg env.
Une carotte
Un oignon
Une branche de céleri

Pour la farce:
Bettes (ou épinards), 200 g
Brousse, 100 g
Un œuf
Une tranche de mortadelle, 100 g
Une poignée de pistaches
8 olives noires et 8 vertes
Parmesan, 50 g
Chapelure
Basilic et persil
Marjolaine et thym
Une gousse d'ail
Noix de muscade

Cette recette récompensera vos efforts car elle est du plus bel effet, tant gastronomique qu'esthétique, dans un menu de fête. Elle demande de la ficelle de cuisine et une aiguille.

Nettoyez et flambez votre poulet. Parez soigneusement les légumes, lavez-les et ébouillantez-les quelques minutes dans une eau légèrement salée. Essorez-les et hachez-les grossièrement au couteau.
Décortiquez les pistaches, ébouillantez-les et privez-les de leur membrane brunâtre. Dénoyautez les olives.
Les opérations préliminaires étant terminées, passons maintenant à la préparation proprement dite. Mais, d'abord, un conseil.

Ne jetez surtout pas le bouillon dans lequel vous aurez fait cuire votre poulet, même s'il n'est pas très goûté. Vous pouvez l'utiliser pour cuire des pâtes aux œufs que vous mangerez le soir après vous être régalés à midi avec votre poulet farci.

1 Mélangez les légumes avec la brousse, l'œuf, la mortadelle en dés, les pistaches et les olives concassées, le parmesan râpé, 2 cuillerées de chapelure, les herbes hachées menu, l'ail, une pincée de noix de muscade, du sel et du poivre.

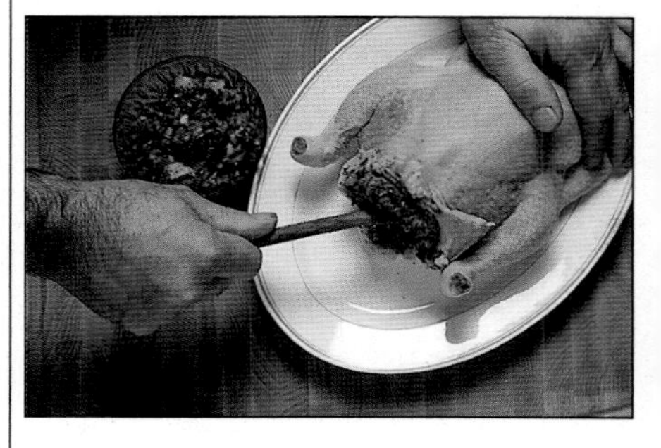

2 Farcissez copieusement le poulet avec cette préparation en vous aidant d'une cuiller en bois et en forçant sur la carcasse.

3 Faites en sorte que tout l'intérieur du poulet soit parfaitement rempli de farce: c'est la condition indispensable pour que la cuisson soit uniforme et que la préparation parfume bien la viande. Une fois que vous l'avez farci, cousez et troussez le poulet.

4 Découpez la carotte, l'oignon et le céleri et mettez-les dans une marmite d'eau peu salée (assez pour couvrir le poulet). Quand l'eau est chaude, ajoutez le poulet, couvrez et laissez cuire une heure à feu doux.

Retirez le poulet du bouillon, égouttez-le et débridez-le. Présentez-le entier avec une garniture de pommes de terre nouvelles ou de carottes au beurre. Découpez à table en veillant à ce que chacun ait sa part de farce.

Poulet au vin, riz et petits pois

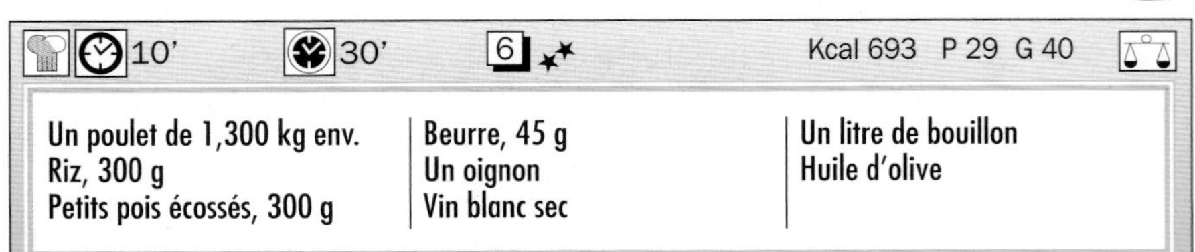

Un poulet de 1,300 kg env.
Riz, 300 g
Petits pois écossés, 300 g

Beurre, 45 g
Un oignon
Vin blanc sec

Un litre de bouillon
Huile d'olive

1 Nettoyez le poulet et flambez-le. Découpez-le ensuite en morceaux pas trop gros. Hachez l'oignon et faites-le revenir dans 2-3 cuill. à soupe d'huile, ajoutez un demi-verre de vin blanc et laissez-le s'évaporer.

2 Unissez le poulet et faites-le rissoler dans l'oignon, en mouillant avec un verre de vin blanc. Salez et poivrez. Une fois que le vin s'est évaporé, continuez la cuisson à petit feu pendant une demi-heure en ajoutant un peu de bouillon chaud de temps à autre.

3 Mettez le beurre à fondre dans une cocotte, ajoutez le riz et faites-le dorer sur feu vif en remuant. Salez et poivrez puis couvrez de bouillon chaud.

4 Unissez maintenant les petits pois et laissez cuire à petit feu en remuant sans cesse. Au fur et à mesure que le riz sèche, ajoutez du bouillon. Au bout de 30 min., le riz est cuit: ajoutez le poulet, mélangez et laissez cuire encore 2-3 minutes.

C'est vraiment là une bonne recette: assez rapide à préparer, elle offre à elle seule, une entrée, une viande et un légume.

Poulet à l'orange

Nettoyez le poulet et flambez-le. Découpez-le en 8-10 morceaux et passez-le dans une assiette contenant 50 g de farine.
Faites-le rissoler doucement à l'huile (4-5 cuill. à soupe) une vingtaine de minutes. Salez.
Mouillez avec un verre de vin, couvrez la cocotte et laissez cuire à petit feu encore 20 minutes. Retirez le couvercle et faites réduire une dizaine de minutes.
Otez le poulet de la cocotte et réservez-le au chaud sur du papier absorbant. Laissez la cocotte sur petit feu et délayez 2 cuillerées de farine dans le fond de cuisson. Unissez le jus des deux oranges et laissez épaissir lentement.
Dressez le poulet sur un plat de service, nappez-le de sauce et servez chaud.

Normalement, c'est le canard que l'on prépare à l'orange.

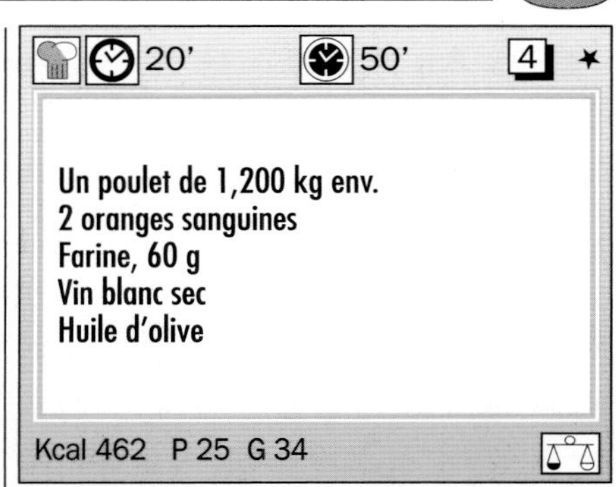

20' 50' 4 *

Un poulet de 1,200 kg env.
2 oranges sanguines
Farine, 60 g
Vin blanc sec
Huile d'olive

Kcal 462 P 25 G 34

Mais pourquoi ne pas "démocratiser" cette recette et l'appliquer à d'autres volailles? Comme le poulet justement, ou la pintade (qui en oublie qu'elle est grasse), le coquelet ou encore le faisan.

Poulet farci à la cocotte

Cette recette demande une aiguille à brider et de la ficelle de cuisine.

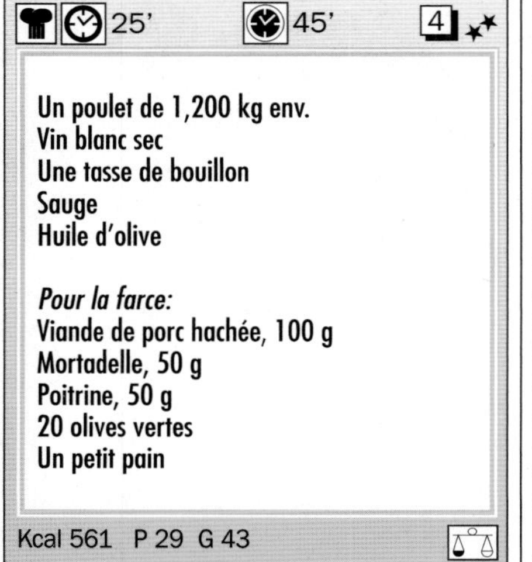

25' 45' 4 **

Un poulet de 1,200 kg env.
Vin blanc sec
Une tasse de bouillon
Sauge
Huile d'olive

Pour la farce:
Viande de porc hachée, 100 g
Mortadelle, 50 g
Poitrine, 50 g
20 olives vertes
Un petit pain

Kcal 561 P 29 G 43

Nettoyez le poulet. Mettez le petit pain à tremper dans du bouillon. Dénoyautez les olives.
Dans un saladier, mélangez la viande, la mortadelle et la poitrine (que vous aurez découpées en dés) puis faites fondre le tout à la poêle avec 2 cuillerées de bouillon. Remettez dans le saladier et incorporez la mie essorée, les olives hachées, du sel et du poivre.
Garnissez le poulet avec cette farce et bridez-le. Mettez-le à rissoler avec la sauge dans 5-6 cuill. à soupe d'huile. Mouillez avec un demi-verre de vin que vous laisserez s'évaporer. Faites cuire 40 min. sur feu doux en humectant avec du bouillon si nécessaire. Présentez votre poulet entier, vous le découperez à table.
C'est un plat savoureux et nourrissant qui demande une garniture légère. Comme plat unique, il s'accompagne d'un riz au beurre ou de petits légumes à la vapeur.

Poulet bardé

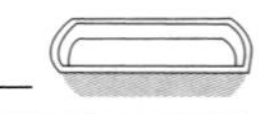

 15’  45’  Kcal 697 P 31 G 57 

Un poulet de 1,300 kg env.
Poitrine, 150 g (en tranches)
Beurre, 45 g
Une grosse tranche de jambon blanc
Vin blanc sec
Une tasse de bouillon
Farine
Jus d’un demi-citron
Clous de girofle (pour la garniture)

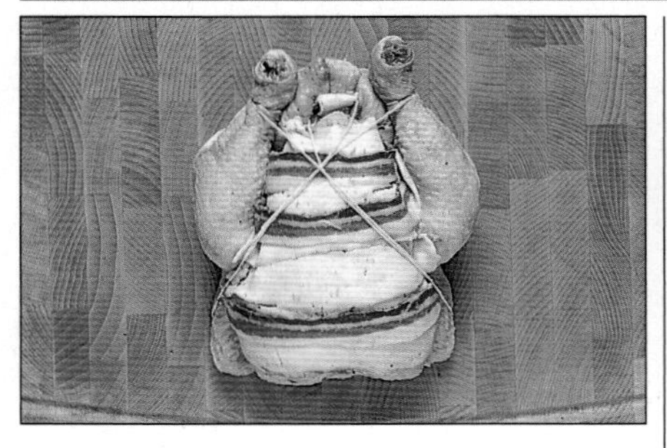

1 Nettoyez et flambez votre poulet. Saupoudrez-le de sel et poivre à l’intérieur et bardez-le de tranches de poitrine (que vous fixerez si nécessaire avec des pics en bois) puis bridez-le.

2 Faites fondre le beurre et mettez-y le jambon haché, sur feu doux. Ajoutez le poulet, mouillez-le avec un demi-verre de vin que vous laisserez s’évaporer. Dorez sur feu moyen une dizaine de minutes.

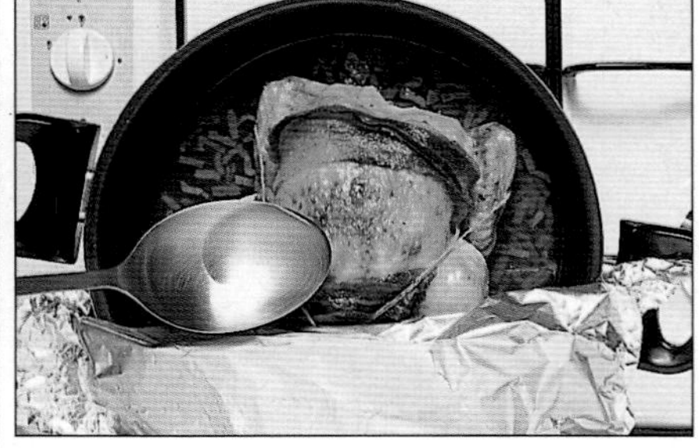

3 Ajoutez le bouillon et couvrez la cocotte avec du papier d’aluminium. Poursuivez la cuisson sur petit feu pendant une demi-heure (le bouillon doit s’évaporer complètement). Découvrez alors la cocotte et laissez réduire. Retirez le poulet, découpez-le et réservez-le au chaud.

4 Laissez la cocotte sur petit feu et mélangez doucement, sans faire de grumeaux, une cuillerée de farine dans le fond de cuisson, puis ajoutez le jus de citron et laissez épaissir. Versez cette sauce sur le poulet, parsemez-le de clous de girofle et servez tiède.

Poulet au brandy

Une fois que vous avez nettoyé le poulet, flambez-le et placez à l'intérieur sauge, romarin, sel et poivre.
Saupoudrez le poulet de sel et poivre à l'extérieur.
Découpez la poitrine en petits lardons et faites-la rissoler à l'huile (3 cuillerées) dans un plat à four.
Unissez le poulet, faites-le dorer sur feu vif et mouillez avec un demi-verre de vin.
Laissez s'évaporer puis glissez le plat dans le four préchauffé à 200 °C.
Faites cuire environ 25 minutes en humectant de temps en temps avec un peu de bouillon puis versez le brandy et poursuivez la cuisson 25 minutes. Présentez votre poulet entier, vous le découperez à table.

Quelle est la meilleure garniture? Un mélange de petits légumes (carottes, pommes de terre et haricots verts) cuits à la vapeur et poêlés au beurre.

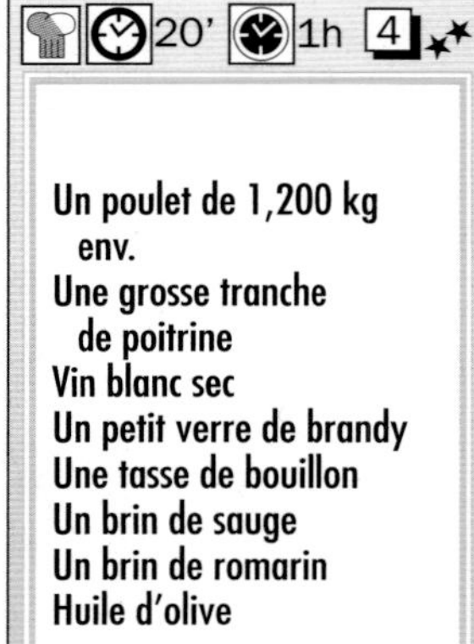
20' 1h 4

Un poulet de 1,200 kg env.
Une grosse tranche de poitrine
Vin blanc sec
Un petit verre de brandy
Une tasse de bouillon
Un brin de sauge
Un brin de romarin
Huile d'olive

Kcal 731 P 26 G 47

Poulet au vin rouge

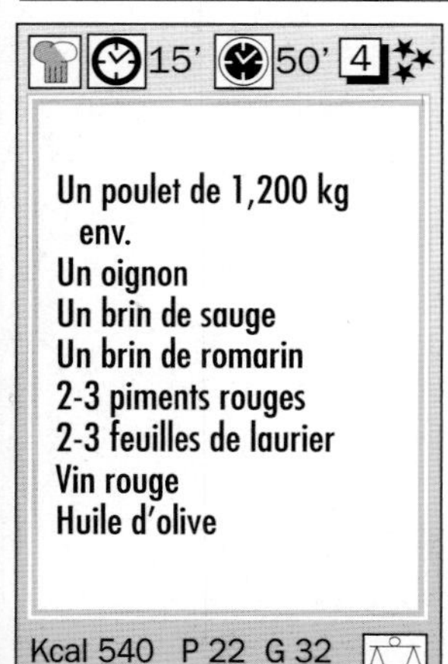

Un poulet de 1,200 kg env.
Un oignon
Un brin de sauge
Un brin de romarin
2-3 piments rouges
2-3 feuilles de laurier
Vin rouge
Huile d'olive

Kcal 540 P 22 G 32

Nettoyez et flambez le poulet puis découpez-le en 8-10 morceaux.
Emincez l'oignon, hachez menu la sauge et le romarin et faites-les blondir à l'huile (4-5 cuillerées) dans une cocotte.
Mettez le poulet à rissoler sur feu vif et mouillez avec un demi-verre de vin.
Quand le vin s'est évaporé, rajoutez-en un autre verre bien plein. Unissez le piment et le laurier puis couvrez et faites cuire à petit feu pendant 20 minutes.
Retirez le couvercle et laissez la sauce réduire doucement 20 minutes. Servez chaud nappé de sauce.

Poulet aux fines herbes et aux épices

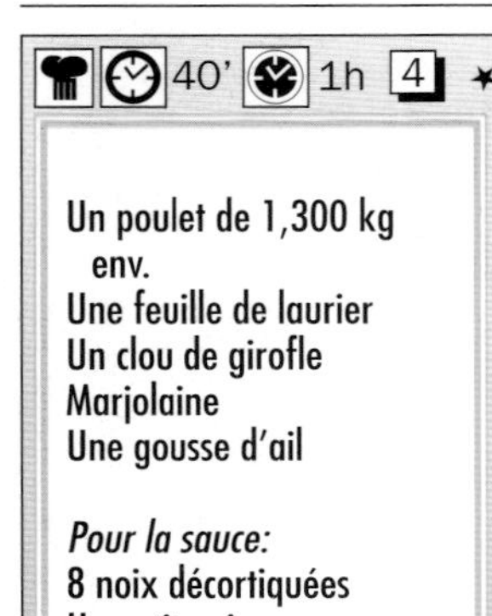

40' 1h 4

Un poulet de 1,300 kg env.
Une feuille de laurier
Un clou de girofle
Marjolaine
Une gousse d'ail

Pour la sauce:
8 noix décortiquées
Un petit pain
Fines herbes (estragon, marjolaine, menthe pouliot, laurier, persil)
Paprika et cannelle

Kcal 540 P 33 G 40

Voici une recette de poulet froid venue du Caucase qui s'enrichit d'un beau bouquet de parfums et de saveurs aromatiques. Idéale pour aiguiser l'appétit quand il fait chaud ou pour présenter en buffet (il faut alors découper et désosser les morceaux de volaille).

Tout d'abord, nettoyez et flambez le poulet.
Mettez-le à cuire à l'eau froide (couvert à mi-hauteur) avec l'ail, le clou de girofle, le laurier, la marjolaine et une pincée de sel. Couvrez et laissez sur tout petit feu pendant une bonne heure.
Retirez le poulet du bouillon et faites-le refroidir. Filtrez le bouillon et prenez-en une tasse dans laquelle vous ferez tremper le petit pain.
Pour préparer la sauce: mixez les cerneaux de noix, les fines herbes, la mie essorée, sel et poivre. Ajoutez une pincée de paprika, une pointe de cannelle et continuez à travailler au mixeur (sur petite vitesse) en versant peu à peu du bouillon.
Vous devez obtenir une sauce souple, épaisse et veloutée.
Découpez le poulet en 8-10 morceaux. Dressez-le sur un plat de service et nappez-le de sauce tiède. Décorez avec du persil ou des demi-cerneaux.

Soufflé

Ebouillantez rapidement vos blancs de poulet puis passez-les au mixeur.
Préparez la sauce blanche: faites fondre le beurre dans une casserole et mélangez la farine, en évitant les grumeaux et en tournant continuellement sur feu très doux, jusqu'à ce que mélange ait pris une belle couleur noisette. Versez le bouillon petit à petit, en continuant de tourner de manière à obtenir une sauce claire et onctueuse. Retirez du feu, laissez tiédir et unissez les blancs de poulet.
Entre-temps, préchauffez votre four à 150 °C. Montez les blancs en neige très ferme, incorporez-les au mélange et versez le tout dans un plat à four légèrement beurré en lissant le dessus.
Glissez au four et faites cuire environ une heure. Cinq minutes avant la fin, réglez le four sur 200 °C.
Servez tiède.

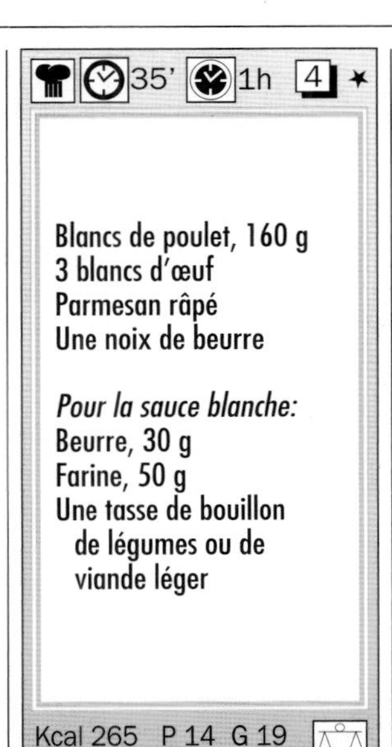

35' 1h 4 ★

Blancs de poulet, 160 g
3 blancs d'œuf
Parmesan râpé
Une noix de beurre

Pour la sauce blanche:
Beurre, 30 g
Farine, 50 g
Une tasse de bouillon de légumes ou de viande léger

Kcal 265 P 14 G 19

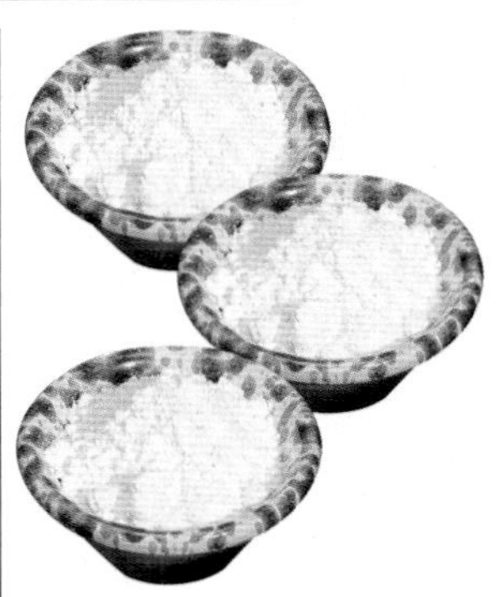

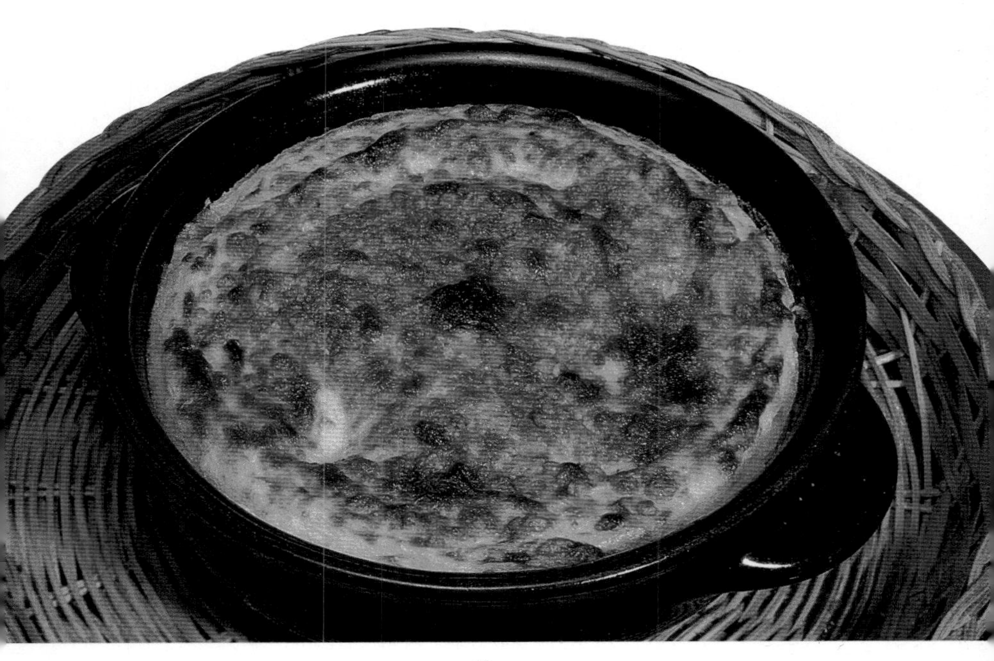

Poulet aux poivrons

Les saveurs méditerranéennes se marient au goût du jambon fumé et au paprika pour créer un plat original, tout simple.

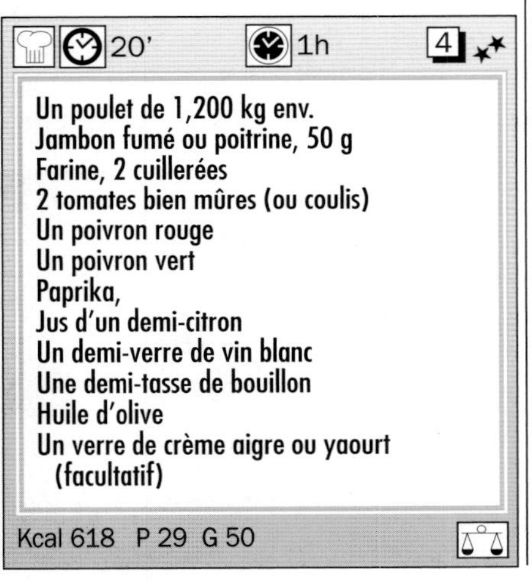

20' 1h 4

Un poulet de 1,200 kg env.
Jambon fumé ou poitrine, 50 g
Farine, 2 cuillerées
2 tomates bien mûres (ou coulis)
Un poivron rouge
Un poivron vert
Paprika,
Jus d'un demi-citron
Un demi-verre de vin blanc
Une demi-tasse de bouillon
Huile d'olive
Un verre de crème aigre ou yaourt (facultatif)

Kcal 618 P 29 G 50

Une fois votre poulet nettoyé et flambé, coupez-le en 8-10 morceaux et passez-le dans une assiette contenant farine, sel et poivre.
Nettoyez les poivrons et détaillez-les en lanières. Pelez les tomates, épépinez-les et réduisez-les en bouillie. Découpez le jambon en dés puis mettez-le à fondre dans une cocotte avec 2 cuillerées d'eau (ou de bouillon). Ajoutez le poulet et faites-le revenir sur feu vif.
Versez un demi-verre de vin et laissez-le s'évaporer, mouillez alors avec un verre de bouillon.
Couvrez et laissez cuire à petit feu pendant 10 minutes.
Incorporez les poivrons, les tomates, une cuillerée de paprika et poursuivez la cuisson sur feu doux.
En fin de cuisson, ajoutez la crème et le jus de citron. Amalgamez doucement hors du feu.

Poulet au paprika

Nettoyez, flambez votre poulet et coupez-le en 8-10 morceaux. Passez-le dans une assiette contenant un peu de farine, du sel et du poivre.
Hachez menu l'oignon. Diluez une demi-cuiller de concentré de tomate dans un peu de bouillon.
Faites fondre le beurre dans une cocotte avec 2-3 cuill. à soupe d'huile et mettez-y le poulet à dorer.
Ajoutez maintenant l'oignon et le concentré de tomate.
Laissez cuire, ajoutez une tasse de bouillon et couvrez le récipient. Faites mijoter une demi-heure environ.
Unissez les cerneaux de noix et le reste de bouillon.
Dix minutes avant la fin de la cuisson, découvrez la cocotte, saupoudrez d'une belle cuillerée de paprika et amalgamez le tout.
Servez le poulet chaud, nappé de sa sauce au paprika (dont la présente rappelle les origines bulgares de cette recette).

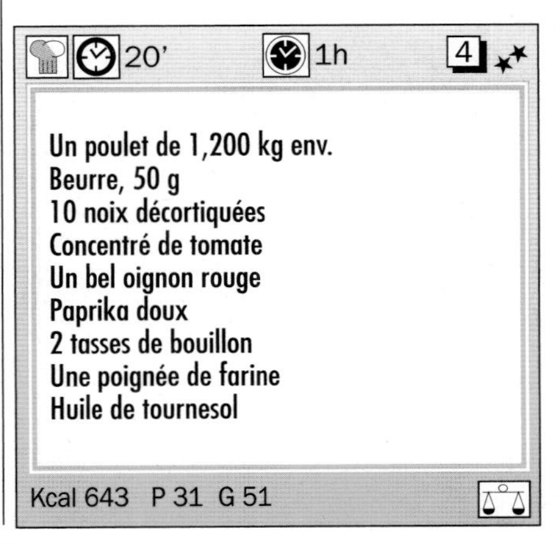

20' 1h 4

Un poulet de 1,200 kg env.
Beurre, 50 g
10 noix décortiquées
Concentré de tomate
Un bel oignon rouge
Paprika doux
2 tasses de bouillon
Une poignée de farine
Huile de tournesol

Kcal 643 P 31 G 51

Poulet à l'aragonaise

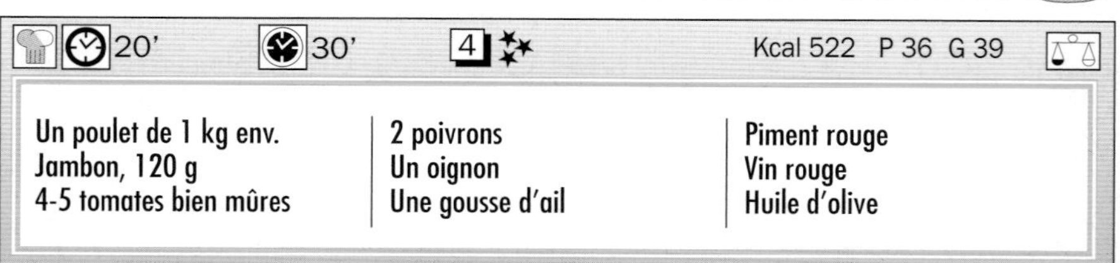

Un poulet de 1 kg env.
Jambon, 120 g
4-5 tomates bien mûres

2 poivrons
Un oignon
Une gousse d'ail

Piment rouge
Vin rouge
Huile d'olive

1 Nettoyez votre poulet puis découpez-le en une douzaine de morceaux que vous ferez dorer 5-6 minutes à l'huile (2-3 cuill. à soupe) sur feu vif.
Nettoyez les tomates et épépinez-les si vous le désirez. De même, parez les poivrons, en éliminant cloisons et graines, et détaillez-les.

2 Faites revenir l'oignon et l'ail hachés dans une cocotte avec le piment et 3-4 cuill. à soupe d'huile. Unissez les tomates et les poivrons et cuisez 10 minutes sur feu moyen.

3 Placez les morceaux de poulet dans la cocotte et laissez cuire 10 minutes à petit feu.

4 Incorporez maintenant le jambon en lanières et un verre de vin. Faites cuire 5 minutes. Attendez que le vin s'évapore et servez votre poulet avec sa sauce.

En été, vous pouvez diminuer de moitié la quantité de poulet et augmenter celle des poivrons et de la tomate: vous obtiendrez un plat très appétissant que vous servirez tiède ou froid avec du riz.

Poulet à la créole

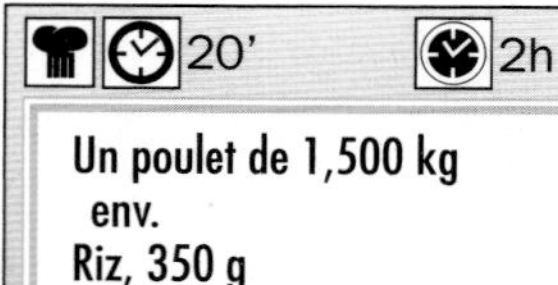

Kcal 855 P 33 G 53

Un poulet de 1,500 kg env.
Riz, 350 g
Beurre, 160 g
2 carottes
Un oignon
2-3 ciboules
Une branche de céleri
Champignons de Paris, 200 g
Un bouquet garni (persil, thym et marjolaine)
1 litre de bouillon de légumes
Une gousse d'ail
Farine
3 cuillerées de curry en poudre

Parez vos légumes. Nettoyez le poulet et détaillez-le en 12 morceaux. Faites-le rissoler au beurre (4 cuill. à soupe) dans une cocotte. Salez.
Au bout de 2-3 minutes, ajoutez le riz et faites cuire sur feu vif en remuant sans arrêt.
Incorporez une cuillerée de curry.

1 Ajoutez les carottes, les ciboules, le céleri, l'ail haché, le bouquet garni ficelé et le curry. Au bout de 3 minutes, couvrez de bouillon et laissez cuire une heure et demie.

2 Mettez l'oignon haché fin à rissoler dans 3 cuillerées de beurre puis unissez les champignons découpés en lamelles.

3 Mouillez avec le reste de bouillon (gardez-en un verre), couvrez et faites cuire encore 20 minutes en ajoutant du beurre de temps en temps.

4 Préparez une sauce blanche avec le bouillon. Versez le poulet et les légumes sur le riz et nappez le tout de sauce blanche. Servez.

Poulet au riz à la turque

45' | 50' | 4 | Kcal 613 P 31 G 35

Un poulet de 1,200 kg env.
Riz, 250 g
Beurre, 60 g

Un oignon
Une poignée de raisins secs

Une poignée de pignons
2 tasses de bouillon de poule

Voici une recette succulente pourtant d'une très grande simplicité.

Après avoir nettoyé le poulet découpez-le en morceaux. Gardez son foie.

1 Couvrez le riz d'eau tiède et égouttez-le au bout d'une demi-heure. Mettez les raisins à tremper puis essorez-les.

2 Faites fondre la moitié du beurre dans une cocotte et mettez-y le poulet à rissoler avec son foie et l'oignon grossièrement émincé.

3 Ajoutez les raisins, salez et versez tout le bouillon. Laissez cuire sur feu moyen pendant une demi-heure.

4 Entre-temps, dorez le riz dans une poêle où vous aurez fait fondre le reste de beurre. Débarrassez les pignons de leur pellicule brune si nécessaire, puis ajoutez-les.
Versez le riz sur le poulet et laissez cuire sur petit feu et à couvert pendant encore une vingtaine de minutes. Démoulez le riz et disposez le poulet par dessus. Vous pouvez donner à votre riz la forme que vous voulez.

La cuisine arabe offre un grand choix de recettes de poulet, en particulier la tradition culinaire maghrébine.
Le Maroc possède des recettes raffinées comme le m'faowar, *du poulet au safran cuit à la vapeur, ou* l'ul garagh hamara, *un poulet enduit de pâte de coriandre, de menthe et de safran avant d'être grillé; et des plats plus populaires, comme l'*harira, *une soupe de poulet au riz (ou aux pois chiches) qui traditionnellement se mange au crépuscule pendant le Ramadan.*
En Algérie, on trouve le Kadi wa djmaatou, *un plat à base de poulet d'abord rissolé puis cuit au four avec un œuf sur chaque morceau.*

Foies poêlés

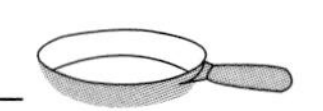

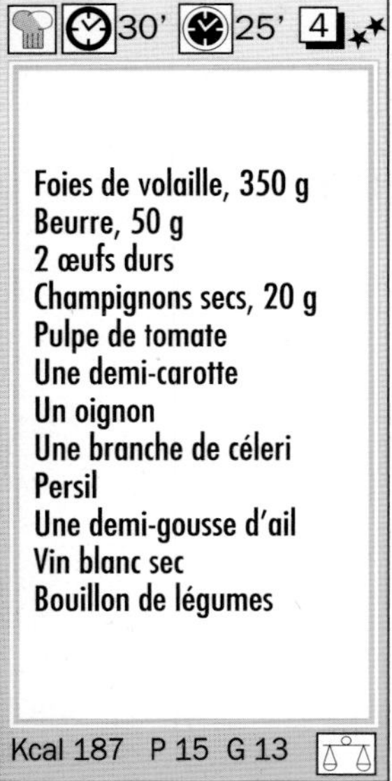

30' 25' 4

Foies de volaille, 350 g
Beurre, 50 g
2 œufs durs
Champignons secs, 20 g
Pulpe de tomate
Une demi-carotte
Un oignon
Une branche de céleri
Persil
Une demi-gousse d'ail
Vin blanc sec
Bouillon de légumes

Kcal 187 P 15 G 13

Mettez les champignons à tremper dans un bol d'eau tiède. Parez les foies et lavez-les sous l'eau froide courante.
Nettoyez les légumes, hachez-les avec l'ail, les champignons bien égouttés et le persil.
Mettez ce hachis à revenir dans le beurre sur feu doux. Unissez les foies. Salez et poivrez. Mouillez avec 2 cuillerées de bouillon et faites colorer sur feu vif en remuant sans arrêt.
Au bout de 10 minutes environ, retirez-les de la poêle et réservez au chaud. Unissez au jus de cuisson les œufs durs emiettés. Mélangez, humectez avec un demi-verre de vin et laissez-le s'évaporer lentement. Ajoutez une louche de pulpe de tomate et amalgamez bien la sauce.
Laissez mijoter 4-5 minutes en remuant puis remettez les foies dans la poêle et faites-les cuire encore un peu. Dressez-les dans un plat de service nappés de leur sauce.

Poulet Demidov au vin

Nettoyez et flambez votre poulet. Conservez son foie et son gésier.
Lavez les carottes et le céleri avant de les hacher menu. Préparez ensuite un hachis très fin avec: l'ail, les clous de girofle, les baies de genièvre et la sauge, du sel, du poivre plus une pincée de noix de muscade. Saupoudrez-en le poulet.
Faites chauffer 2-3 cuill. à soupe d'huile et le beurre dans une cocotte. Mettez à rissoler le hachis de carottes et céleri, le foie et le gésier hachés. Faites-y revenir votre poulet après l'avoir bridé (voir page 33).
Versez un verre et demi de vin, couvrez et faites cuire à feu doux en ajoutant un peu d'eau si nécessaire. Au bout de 45 minutes environ retirez le poulet de la cocotte et réservez-le au chaud. Sur un petit feu, mélangez une cuillerée de farine dans le jus de cuisson, ajoutez la crème fraîche en remuant délicatement sans arrêt et laissez épaissir la sauce. Déficelez votre poulet et découpez-le en 8-10 morceaux. Servez nappé de sa sauce.

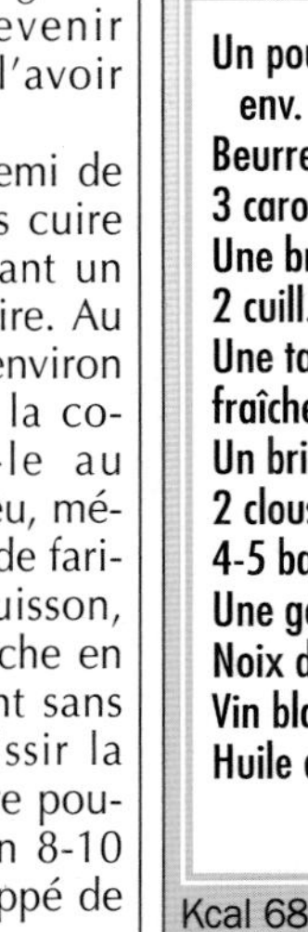

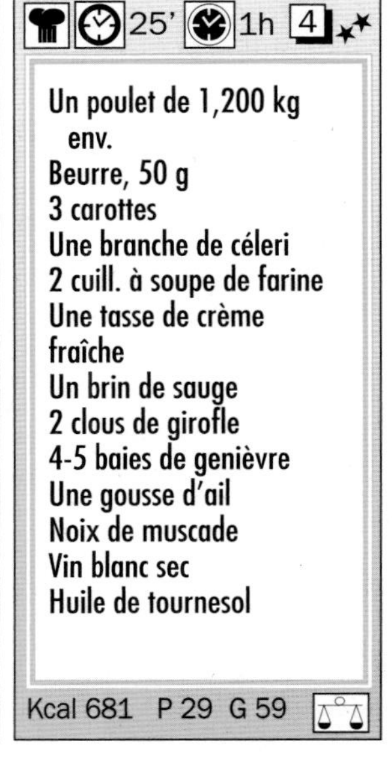

25' 1h 4

Un poulet de 1,200 kg env.
Beurre, 50 g
3 carottes
Une branche de céleri
2 cuill. à soupe de farine
Une tasse de crème fraîche
Un brin de sauge
2 clous de girofle
4-5 baies de genièvre
Une gousse d'ail
Noix de muscade
Vin blanc sec
Huile de tournesol

Kcal 681 P 29 G 59

Poulet au curry ▸

Epluchez les pommes de terre et mettez-les dans un saladier rempli d'eau froide.
Nettoyez votre poulet et découpez-le en petits morceaux. Placez-le dans une cocotte avec 2 verres d'eau froide, couvrez et faites cuire une demi-heure à petit feu. Découvrez, retirez le poulet, égouttez-le et déposez-le dans un plat.
Versez une cuillerée de curry dans 2-3 cuill. à soupe d'huile chauffée à la poêle, ajoutez le poulet et les pommes de terre épongées et détaillées en rondelles. Unissez une tasse de lait de coco, mélangez et salez. Faites cuire sur feu vif pendant 15 minutes. Laissez réduire, puis servez avec du riz basmati à l'eau.

Qu'est-ce que le lait de coco? Il ne s'agit pas de l'eau contenue dans la noix mais d'un liquide frais et parfumé obtenu à partir de pulpe de coco râpée puis séchée. On fait tremper la pulpe dans de l'eau puis on la tamise en appuyant bien fort pour recueillir tout le liquide qui en sort.
Il est vendu en boîte dans les épiceries fines et les magasins de spécialités exotiques.
Le riz basmati (littéralement "reine du parfum") pousse sur les pentes de l'Himalaya.

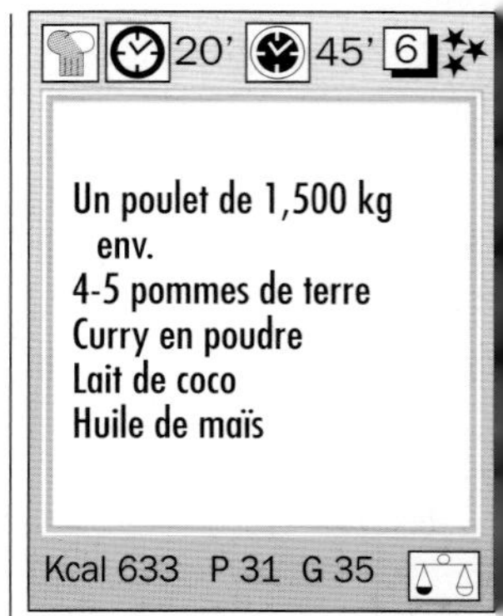

Poulet Marengo

Nettoyez votre poulet et découpez-le en plusieurs morceaux.
Mettez-le à mariner dans une grande terrine avec le jus du citron, un peu de noix de muscade, une pincée de sel et un verre de vin blanc.
Faites fondre le beurre dans une cocotte et mettez-y le poulet à dorer. Versez la moitié de la marinade, couvrez et faites cuire à petit feu une vingtaine de minutes environ.
Retirez le couvercle, ajoutez une louche de sauce blanche. Faites cuire encore un quart d'heure.
Servez persillé et bien chaud.

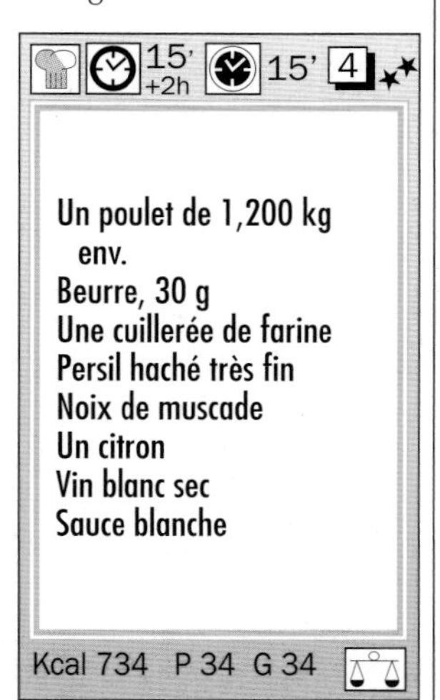

Cette recette est une variante raffinée du poulet qui, dit-on, fut cuisiné sur le champ de bataille pour Napoléon.

Nous sommes le 14 juin 1800 à Marengo, dans le Piémont en Italie, l'empereur vient de battre l'armée autrichienne aux ordres de von Melas.
On a perdu la cambuse dans la bataille et faisant avec ce qu'il a sous la main, le cuisinier invente ce plat qui sera servi à Napoléon sur un tambour.

Poulet aux épices à l'indienne

 25'  1h 6 Kcal 951 P 36 G 49 

Un poulet de 1,200 kg env.
Beurre, 90 g
Riz, 500 g
Un oignon
Une poignée d'amandes mondées
Une cuill. à café de graines de coriandre
Une cuill. à café de cumin
2 clous de girofle
Un morceau de cannelle
Un sachet de safran
Une pointe de gingembre en poudre
Poivre noir en grains
Un yaourt nature maigre

1 Faites bouillir le riz 10 min. puis égouttez-le. Nettoyez le poulet et découpez-le en 10-12 morceaux. Mixez la moitié des amandes avec une petite cuillerée d'eau et dorez les autres au beurre. Mixez coriandre, gingembre, oignon et salez. Passez les morceaux de poulet dans cette bouillie.

2 Mettez le poulet à cuire dans une cocotte, en le mouillant de temps en temps. Retirez-le et réservez-le au chaud. Incorporez dans le jus de cuisson la pâte d'amandes et le yaourt.

3 Dans une autre cocotte, faites fondre le reste de beurre. Ajoutez les morceaux de poulet enrobés d'aromates et unissez un mélange de cumin, clous de girofle, grains de poivre et cannelle, le tout haché menu. Faites cuire doucement 10 minutes en remuant.

4 Ajoutez le riz, la sauce au yaourt et le safran. Laissez cuire doucement, à couvert, pendant 5-6 minutes. Préchauffez votre four à 200 °C. Décorez avec les amandes au beurre.

Poulet rustique au gingembre

Très relevée, cette recette indienne est aussi facile à préparer que belle à regarder. Vous apprécierez la note délicieuse et originale du gingembre fraîchement coupé (la tubercule de gingembre est disponible au rayon fruits et légumes dans presque tous les supermarchés, tout comme les piments verts frais).

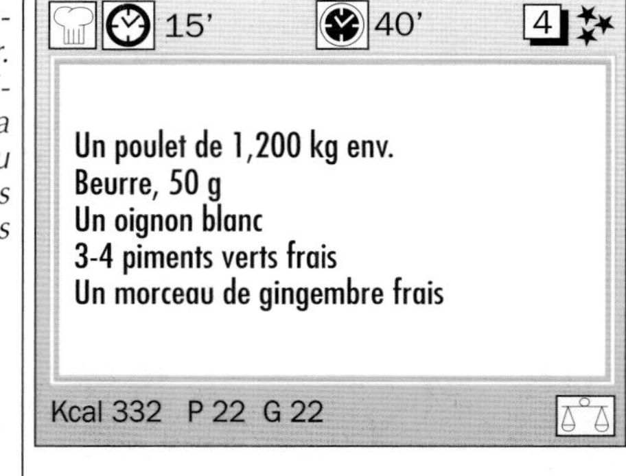

15' 40' 4

Un poulet de 1,200 kg env.
Beurre, 50 g
Un oignon blanc
3-4 piments verts frais
Un morceau de gingembre frais

Kcal 332 P 22 G 22

Nettoyez et épongez le poulet. Découpez-le en morceaux que vous ferez dorer sur feu vif dans 3 cuillerées de beurre.
Sortez-les et réservez au chaud. Dans la cocotte, faites rissoler maintenant les piments découpés en lanières, l'oignon haché, le gingembre détaillé en rondelles et une pincée de poivre.
Au bout de quelques minutes, mélangez et remettez le poulet dans la cocotte. Couvrez et poursuivez la cuisson sur petit feu en mouillant avec de l'eau si nécessaire.

Brochettes à la japonaise

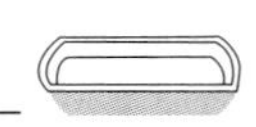

Voici une recette toute simple et vite faite de brochettes dont le goût aigre-doux vous séduira (au Japon, on les appelle Yaki Tori*).*

Coupez les blancs de poulet en cubes de 2 cm de côté (après avoir retiré l'os le cas échéant).
Dans une casserole, mélangez 2 tasses de saké, une tasse de sauce de soja, 2 cuillerées de sucre, une pincée de poivre noir. Faites bouillir une vingtaine de minutes.
Enfilez vos morceaux de poulet sur 4 brochettes. Mouillez-les légèrement avec la sauce. Mettez-les dans un plat à four et glissez au four (180-200 °C). Faites cuire 20 minutes environ en les badigeonnant de sauce de temps en temps.
Servez vos brochettes très chaudes après les avoir arrosées de jus de citron.
Elles peuvent s'accompagner d'une salade assaisonnée avec du jus de citron et de la sauce de soja (et d'une goutte d'huile bien de chez nous).

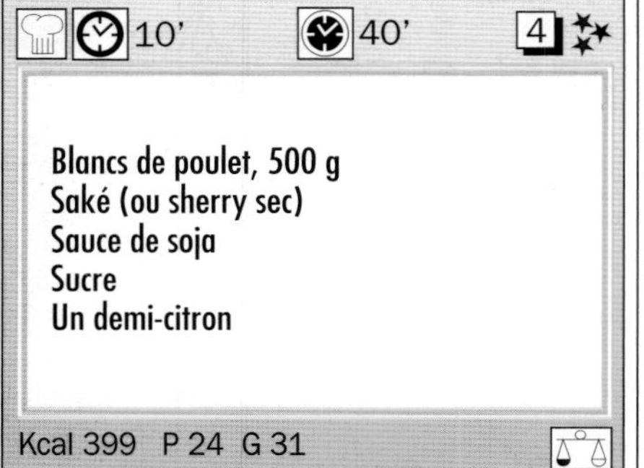

10' 40' 4

Blancs de poulet, 500 g
Saké (ou sherry sec)
Sauce de soja
Sucre
Un demi-citron

Kcal 399 P 24 G 31

Poulet aux cinq épices

 20'+1h  30' 

Kcal 361 P 26 G 26

Un poulet de 1,200 kg env.
Beurre, 30 g
2-3 poivrons
Gingembre frais

Un oignon
Une gousse d'ail
Un sachet de safran
3 clous de girofle

4 graines de cardamome
Cannelle
2 tasses de lait de noix de coco (ou de crème fraîche)

1 Vous aurez besoin d'un poulet cuit (de préférence bouilli) préalablement désossé et découpé en morceaux.
Nettoyez les poivrons puis découpez-les en lanières.

2 Mettez l'oignon et l'ail hachés à rissoler dans une cocotte avec 2 cuillerées de beurre.
Unissez les poivrons, le gingembre coupé en rondelles, les graines de cardamome, les clous de girofle et la cannelle. Faites cuire à tout petit feu.

3 Au bout de 10 minutes, saupoudrez de safran et faites cuire encore 5 minutes. Mouillez graduellement avec le lait de coco (ou la crème fraîche) en amalgamant bien, salez et laissez mijoter encore 10 minutes.

4 Incorporez les morceaux de poulet et faites-les cuire dans la sauce à tout petit feu en remuant délicatement. Quand ils sont bien chauds, éteignez et servez.

En garniture: des piments verts au naturel ou conservés dans le vinaigre.

Dans la cuisine chinoise, les plats "aux cinq épices" sont nombreux.
En général, ils font appel à un mélange d'épices standard qui réunit: anis étoilé, clou de girofle, cannelle (ou cinnamome) et poivre chinois à l'anis. Mais cet assortiment peut varier selon les traditions culinaires locales et la fantaisie de chacun, comme ici.
Par contre, le curry ou cari - élément clef de la cuisine indienne - associe d'ordinaire: coriandre, cumin, poivre, safran, clou de girofle, cardamome et noix de muscade.

Poulet aux amandes ▸

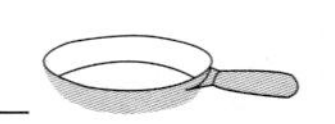

Nous ne pouvions clore notre tour d'horizon sans ces deux classiques de la cuisine chinoise. Deux recettes aussi belles et savoureuses que simples et rapides à réaliser.

Décortiquez les amandes, ébouillantez-le quelques instants puis pelez-les. Découpez les blancs de poulet en morceaux réguliers (après avoir retiré la fourchette éventuellement). Amalgamez 2 cuillerées de sauce de soja, une cuiller à café de sucre, une de vinaigre et une de maïzena, plus une pincée de poivre blanc. Plongez-y prestement les morceaux de poulet. Chauffez 4-5 cuill. à soupe d'huile dans une poêle. Mettez-y les amandes à dorer puis unissez le poulet et sa sauce en remuant sans cesse.
Faites cuire à feu vif pendant 2-3 minutes.
Eteignez et continuez à tourner pour glacer légèrement votre poulet avant de le servir.

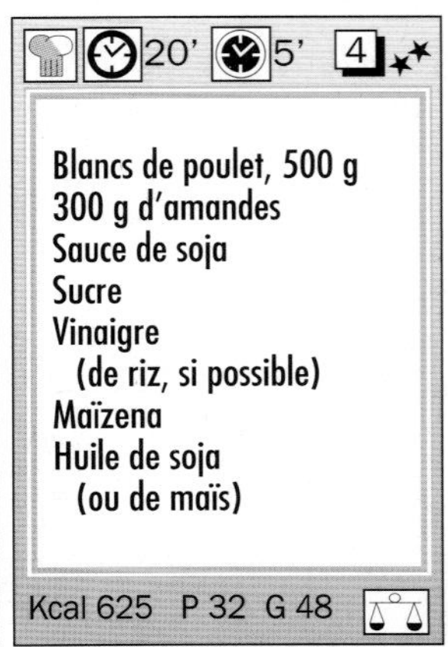

20' 5' 4

Blancs de poulet, 500 g
300 g d'amandes
Sauce de soja
Sucre
Vinaigre
(de riz, si possible)
Maïzena
Huile de soja
(ou de maïs)

Kcal 625 P 32 G 48

Poulet à la moutarde

Détaillez les blancs de poulet en lanières (après les avoir débarrassés de l'os, le cas échéant).
Dans un saladier, battez une cuillerée de maïzena avec les blancs puis plongez-y le poulet dans cette pâte fluide.
Faites-le rissoler à l'huile (4-5 cuill. à soupe) dans une poêle en tournant sans arrêt, pendant 5-6 minutes.
Mettez votre poulet à égoutter sur du papier absorbant puis dressez-le sur un plat de service.

Diluez une cuillerée de moutarde dans un peu d'eau chaude et ajoutez une cuillerée de sauce de soja, une d'huile de sésame, quelques gouttes de vinaigre et une pincée de sel. Nappez le poulet de cette sauce et servez.

20' 5' 4

Blancs de poulet, 500 g
Moutarde en poudre
2 blancs d'œuf
Sauce de soja
Huile de sésame
Maïzena
Vinaigre (de riz, de préférence)
Huile de soja
(ou de maïs)

Kcal 591 P 29 G 35

L'huile de sésame, obtenue par pression des graines de sésame, est très employée dans toute la cuisine orientale. Bien qu'excellente pour frire, on ne l'utilise que rarement à cet effet; on la préfère comme condiment car elle est très parfumée. Elle se vend en bouteille dans les épiceries fines et au rayon produits exotiques en supermarché.

Table des matières

50 RECETTES

LE POULET

Projet éditorial : Casa Editrice Bonechi
Directeur éditorial : Alberto Andreini
Concept et coordination : Paolo Piazzesi
Projet graphique et mise en pages PAO édition française : Maria Rosanna Malagrinò
Couverture : Andrea Agnorelli *et* Maria Rosanna Malagrinò
Traduction: Rose-Marie Olivier

Toutes les recettes de ce volume ont été préparées par l'équipe de nos cuisiniers.

En cuisine : Maura Borracelli, Mario Piccioli
Diététicien : Dr. John Luke Hili

Les photos, propriété des archives Bonechi, *ont été réalisées par* Andrea Fantauzzo.

Imprimé en Italie par Centro Stampa Editoriale Bonechi.

ISBN 88-476-1216-0